N° 5

éditions BRAVO!

Cet ouvrage est inspiré du livre paru chez Sterling Publishing Co.,
sous le titre *Hangman for your briefcase*

Publié par les Éditions Bravo! une division de
LES PUBLICATIONS MODUS VIVENDI INC.
55, rue Jean-Talon Ouest, 2e étage
Montréal (Québec) H2R 2W8
CANADA

www.groupemodus.com

Éditeur : Marc Alain
Éditrice déléguée : Isabelle Jodoin
Réviseure : Catherine LeBlanc-Fredette

ISBN 978-2-89670-142-1

Nous reconnaissons l'aide financière du Fonds du livre du Canada
pour nos activités d'édition.

Imprimé en Chine

COMMENT JOUER

L'objectif est de remplir les lettres manquantes au bas de la page pour y découvrir le mot mystère. Vous devez deviner le mot mystère en faisant le moins de mauvais choix de lettres possible.

Grattez une pastille, à votre choix, sous une lettre. Si cette lettre figure dans le mot mystère, on vous indiquera où la placer dans l'ordre numéroté au bas de la page. Mais si vous choisissez une lettre qui n'appartient pas au mot mystère, le *monsieur* pendu vous montrera sa langue et vous devrez tracer une partie du corps sur l'échafaud.

Il y a six (6) parties du corps – deux bras, deux jambes, un corps et une tête. Vous avez donc six chances d'erreurs avant que le *monsieur* ne soit pendu ou pour découvrir le mot mystère.

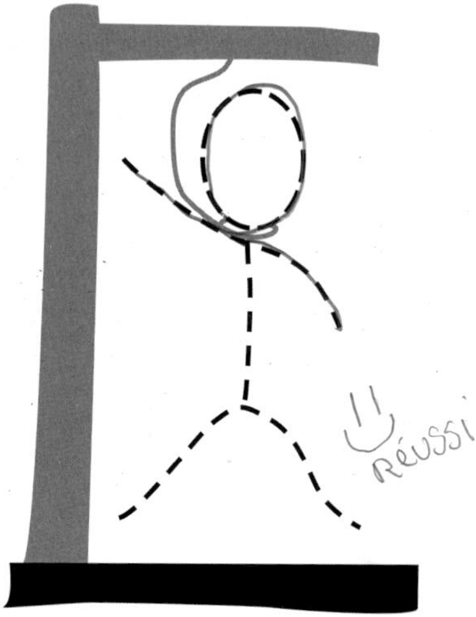

A B C D E F G H

E: 3, 6, 15

I J K L M N O P Q

I: 5, 9, 11 · M: 4, 8 · N: 10 · P: 1

R S T U V W X Y Z

R: 2, 7, 14 · S: 12 · T: 13

P R E M I E R
1 2 3 4 5 6 7

M I N I S T R E
8 9 10 11 12 13 14 15

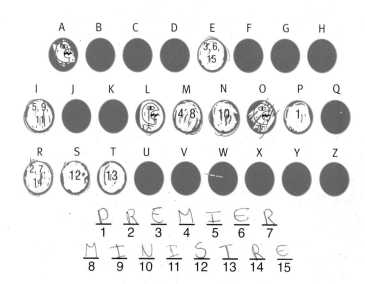

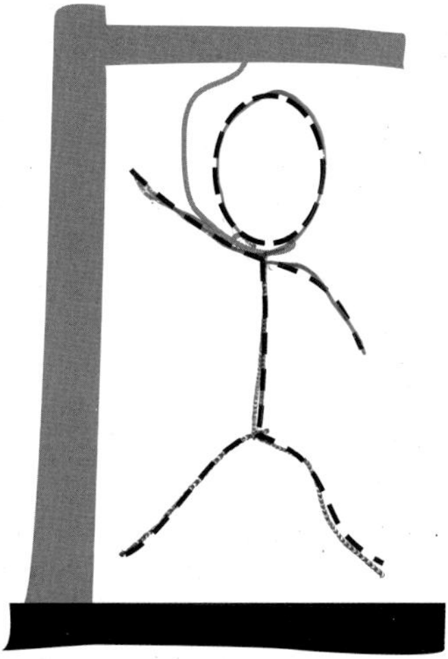

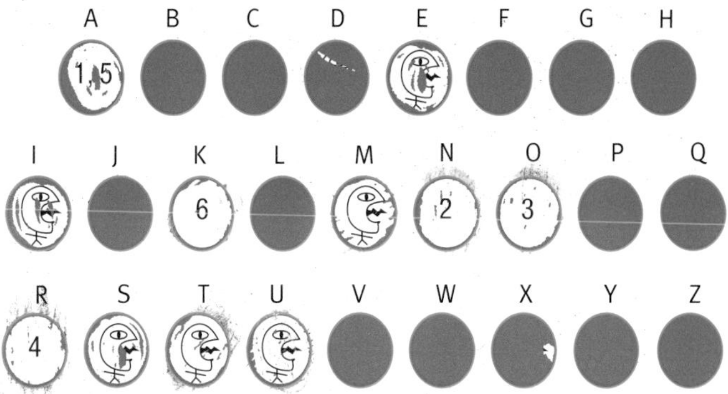
A B C D E F G H
1,5
I J K L M N O P Q
6 2 3
R S T U V W X Y Z
4
ANORAK
1 2 3 4 5 6

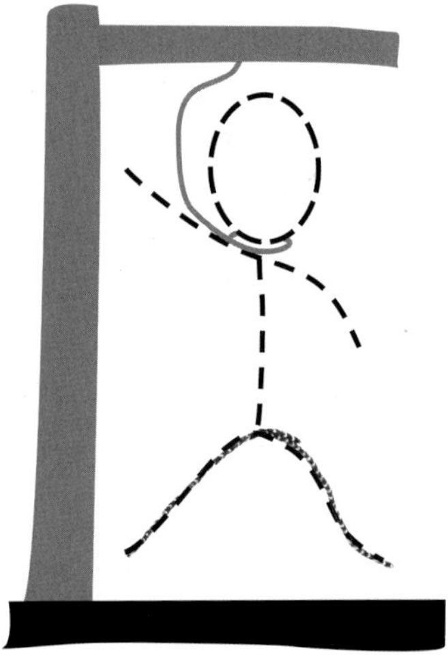

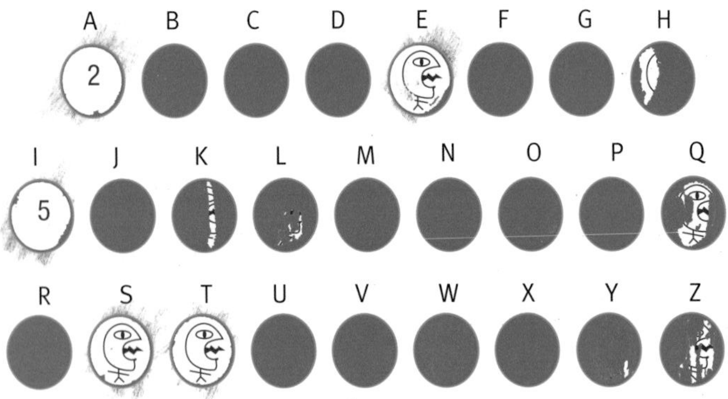

___ A ___ ___ I ___
1 2 3 4 5 6

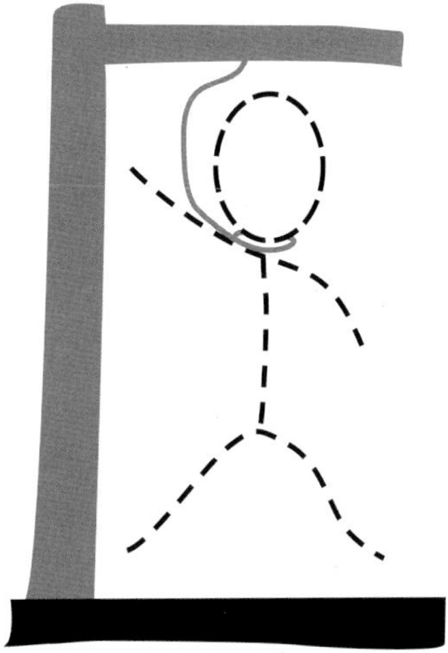

A B C D E F G H

I J K L M N O P Q

R S T U V W X Y Z

_ _ _ _ _ _ _

1 2 3 4 5 6 7

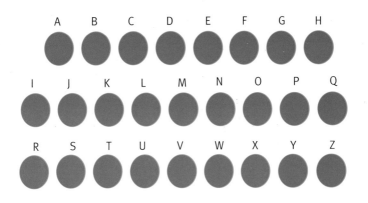

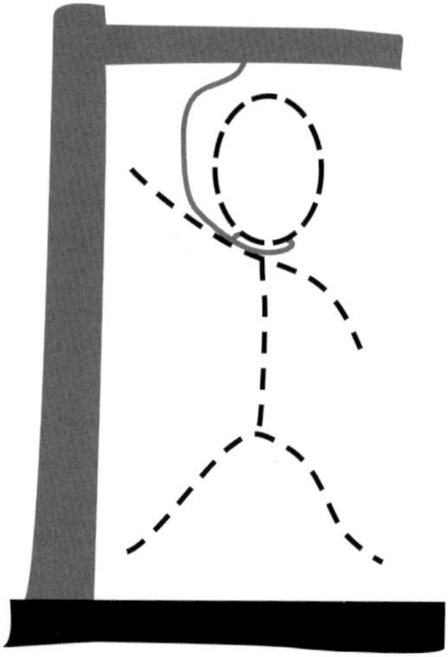

A B C D E F G H

I J K L M N O P Q

R S T U V W X Y Z

_ _ _ _ _

1 2 3 4 5

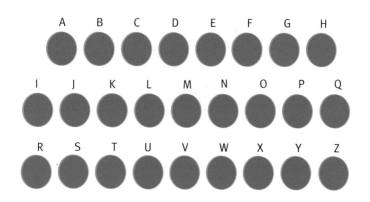

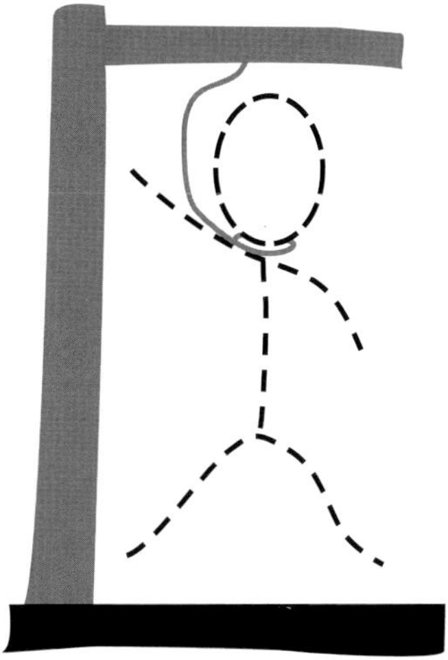

A B C D E F G H

I J K L M N O P Q

R S T U V W X Y Z

_ _ _ _ _ _ _ _ _
1 2 3 4 5 6 7 8 9

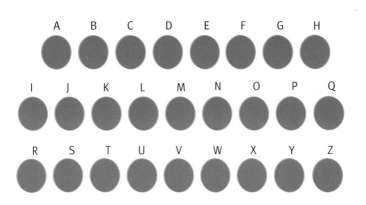

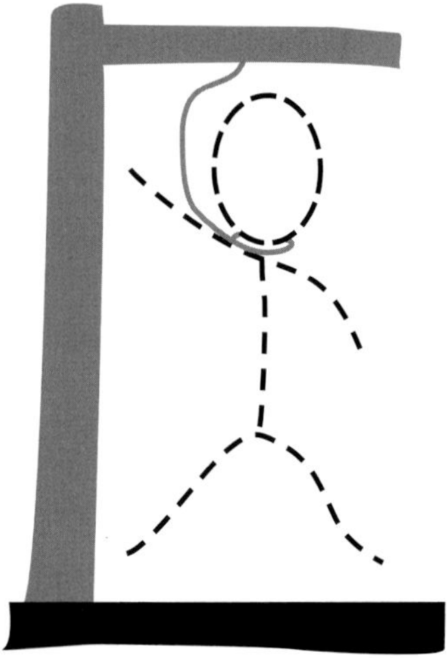

A B C D E F G H

I J K L M N O P Q

R S T U V W X Y Z

___ ___ ___ ___ ___ ___ ___ ___ ___

1 2 3 4 5 6 7 8 9

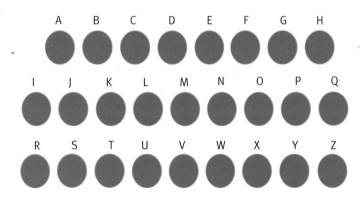

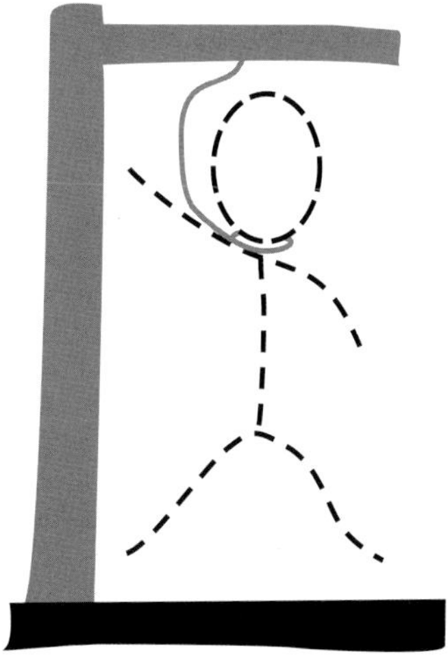

A B C D E F G H

I J K L M N O P Q

R S T U V W X Y Z

1 2 3 4 5 6 7 8 9 10

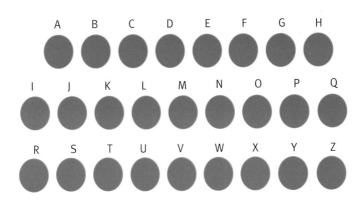

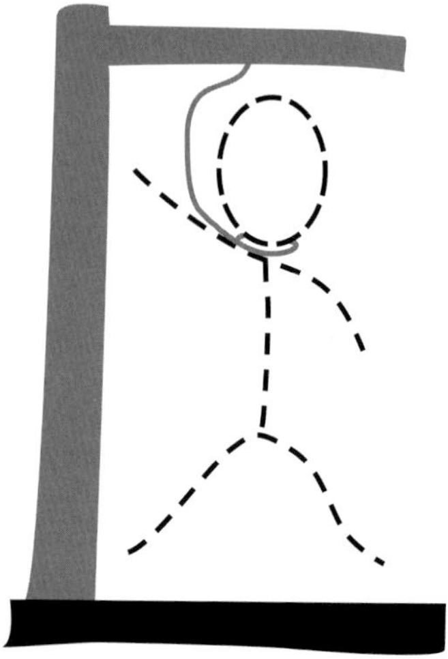

A B C D E F G H

I J K L M N O P Q

R S T U V W X Y Z

_ _ _ _ _ _ _ _ _
1 2 3 4 5 6 7 8 9

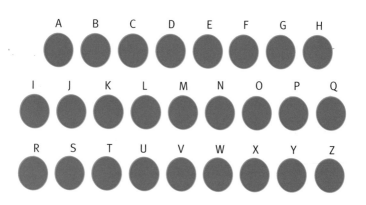

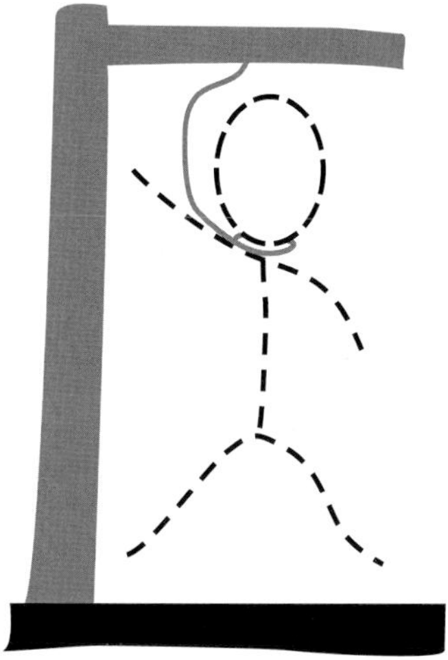

A B C D E F G H

I J K L M N O P Q

R S T U V W X Y Z

_ _ _ _ _ _ _ _

1 2 3 4 5 6 7 8

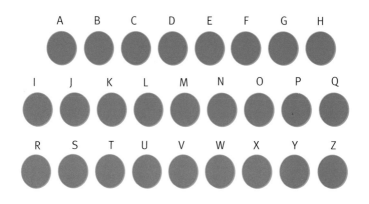

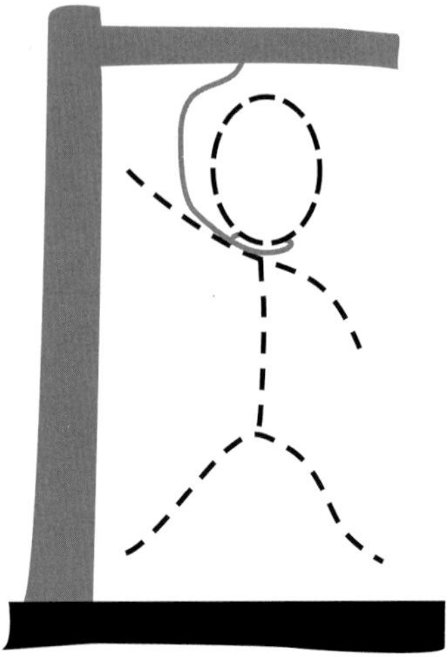

A B C D E F G H

I J K L M N O P Q

R S T U V W X Y Z

_ _ _ _ _ _ _

1 2 3 4 5 6 7

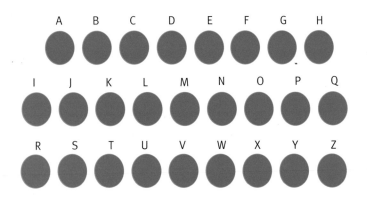

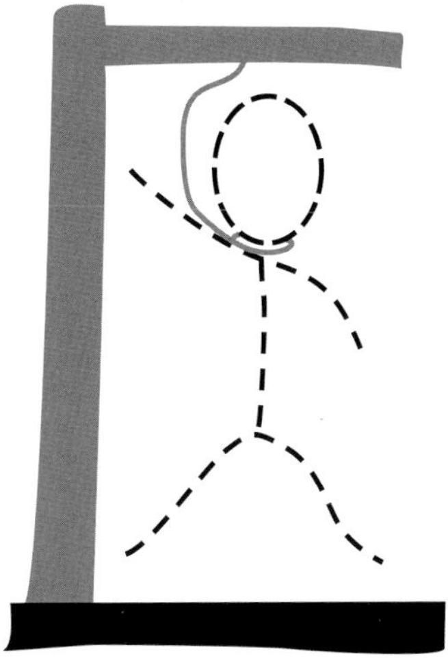

A B C D E F G H

I J K L M N O P Q

R S T U V W X Y Z

_ _ _ _ _ _

1 2 3 4 5 6

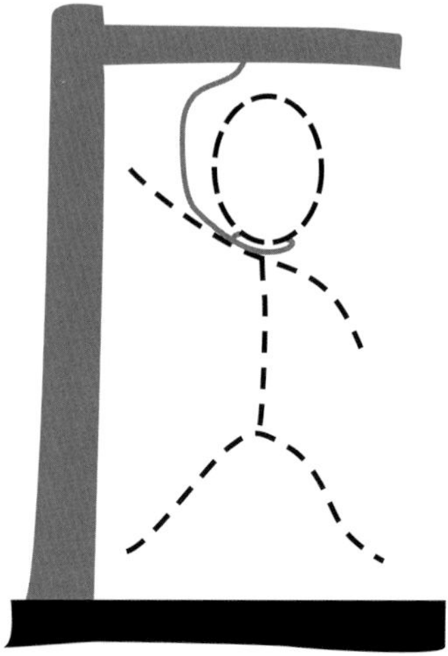

A B C D E F G H

I J K L M N O P Q

R S T U V W X Y Z

1 2 3 4 - 5 6 7 8 9

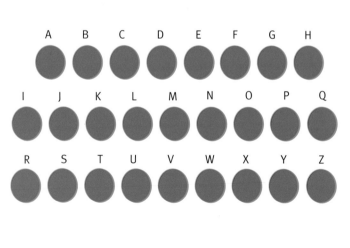

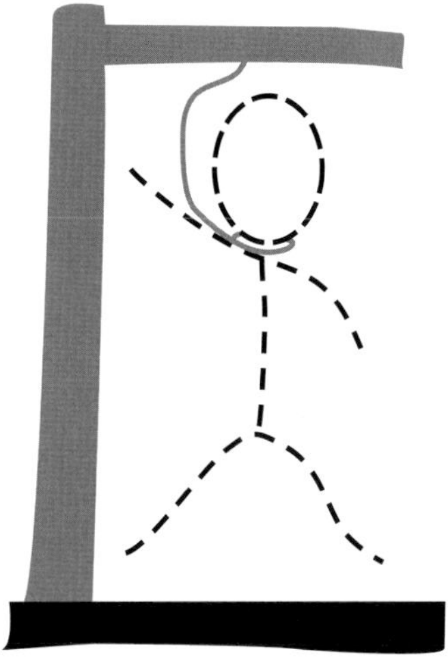

A	B	C	D	E	F	G	H

I	J	K	L	M	N	O	P	Q

R	S	T	U	V	W	X	Y	Z

___ ___ ___ ___ ___
1 2 3 4 5

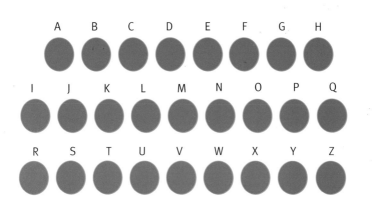

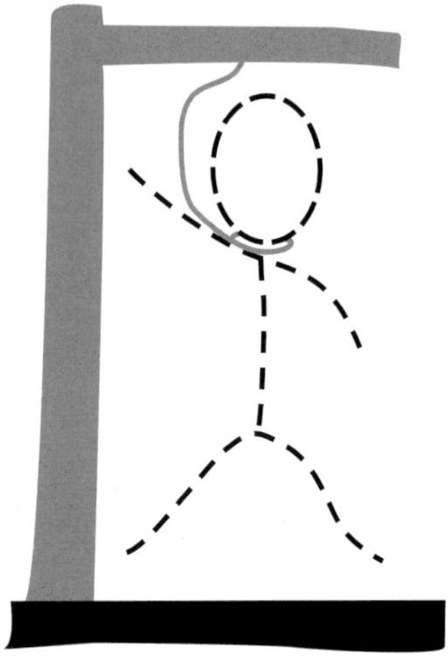

A B C D E F G H

I J K L M N O P Q

R S T U V W X Y Z

__ __ __ __ __ __
1 2 3 4 5 6

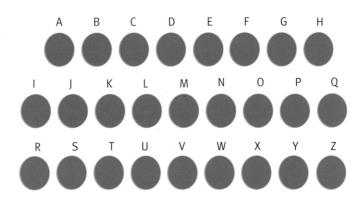

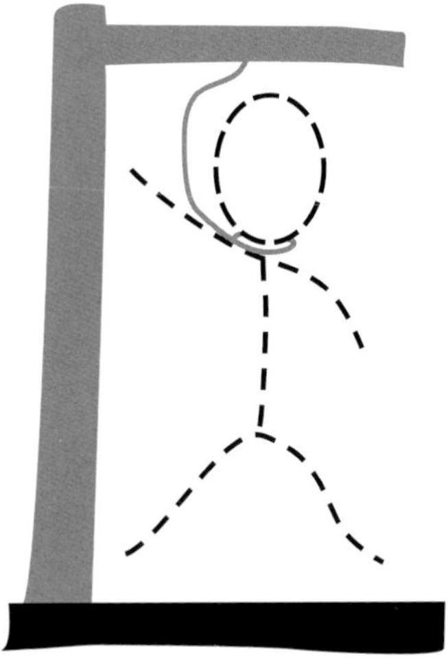

A B C D E F G H

I J K L M N O P Q

R S T U V W X Y Z

_ _ _ _ _
1 2 3 4 5

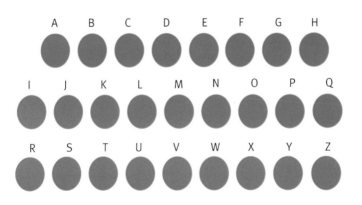

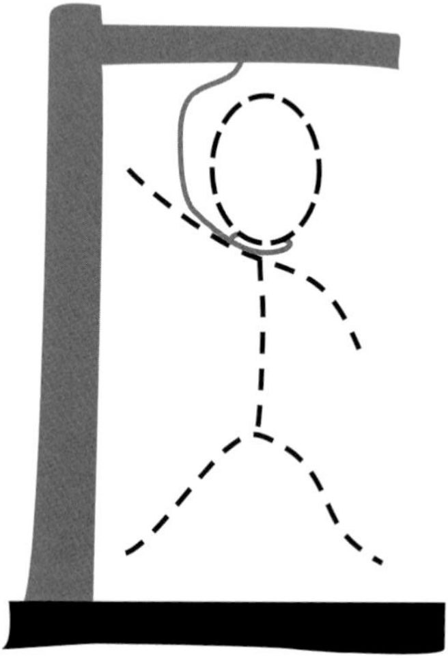

A B C D E F G H

I J K L M N O P Q

R S T U V W X Y Z

_ _ _ _ _ _ _ _ _ _ _

1 2 3 4 5 6 7 8 9 10 11

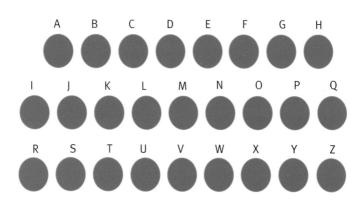

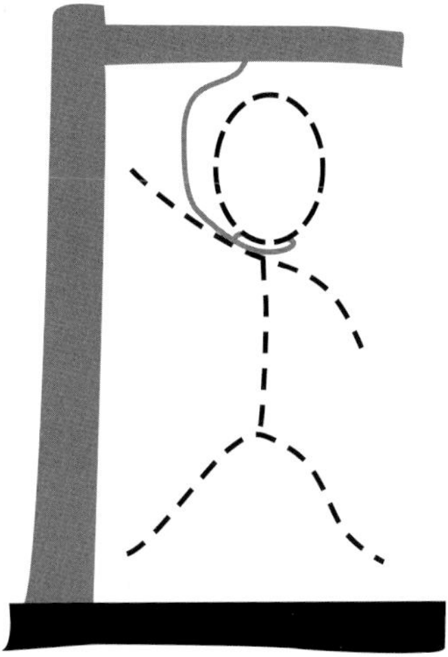

A B C D E F G H

I J K L M N O P Q

R S T U V W X Y Z

_ _ _ _ _

1 2 3 4 5

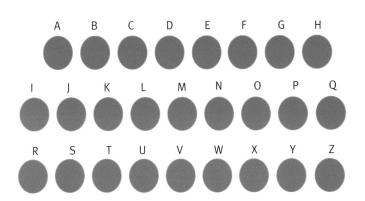

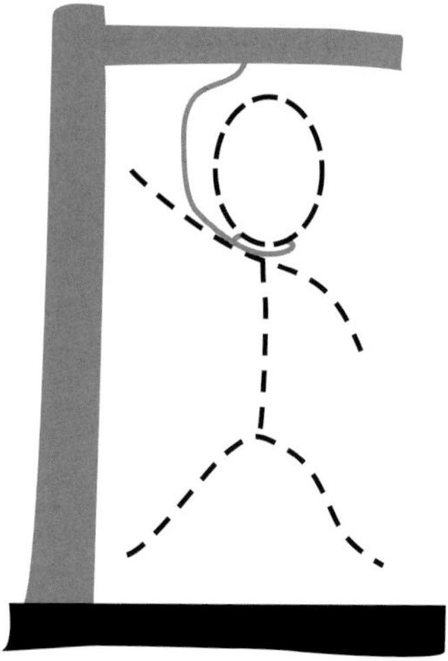

A B C D E F G H

I J K L M N O P Q

R S T U V W X Y Z

_ _ _ _ _ _ _ _

1 2 3 4 5 6 7 8

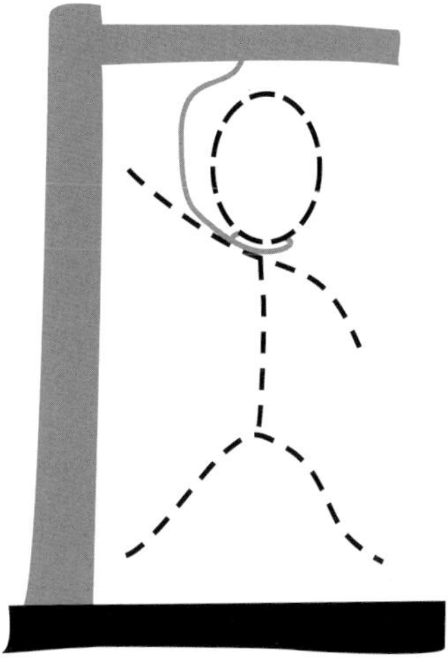

A B C D E F G H

I J K L M N O P Q

R S T U V W X Y Z

_ _ _ _ _ _ _
1 2 3 4 5 6 7

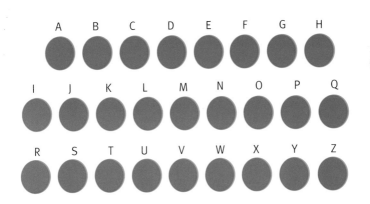

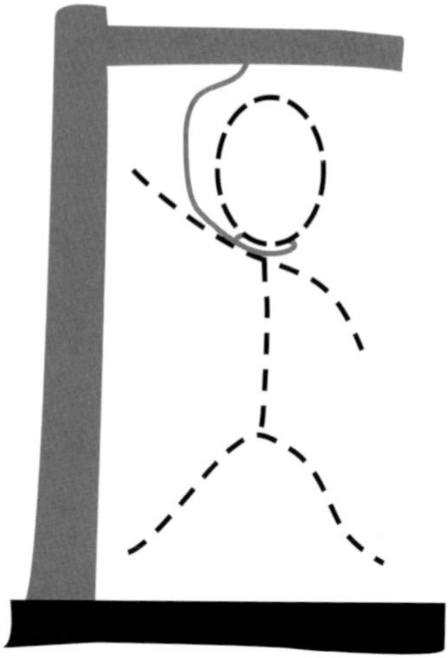

A B C D E F G H

I J K L M N O P Q

R S T U V W X Y Z

_ _ _ _ _ _ _

1 2 3 4 5 6 7

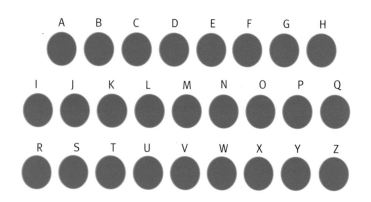

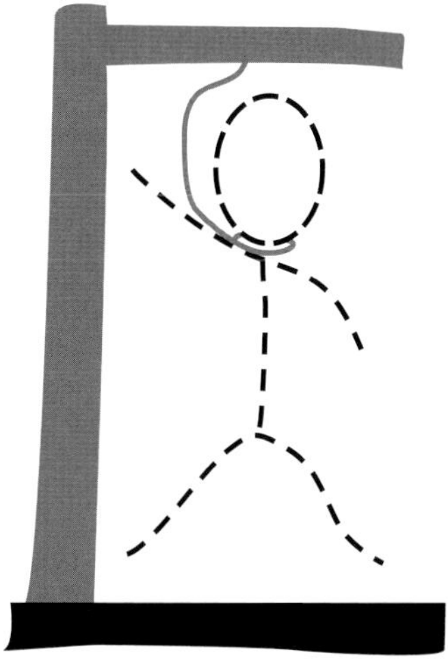

A B C D E F G H

I J K L M N O P Q

R S T U V W X Y Z

_ _ _ _ _ _ - _ _ _ _

1 2 3 4 5 6 7 8 9 10

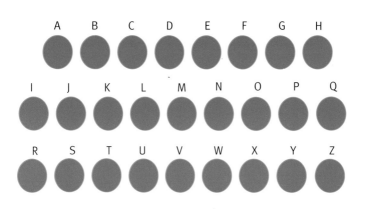

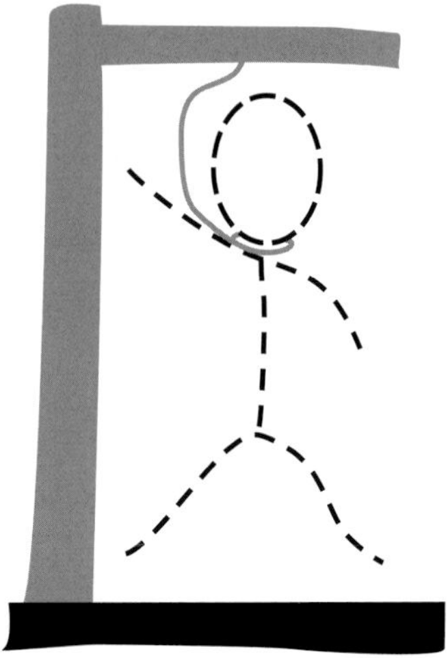

A B C D E F G H

I J K L M N O P Q

R S T U V W X Y Z

_ _ _ _ _ _ _ _ _ _ _
1 2 3 4 5 6 7 8 9 10 11

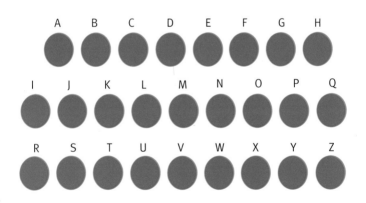

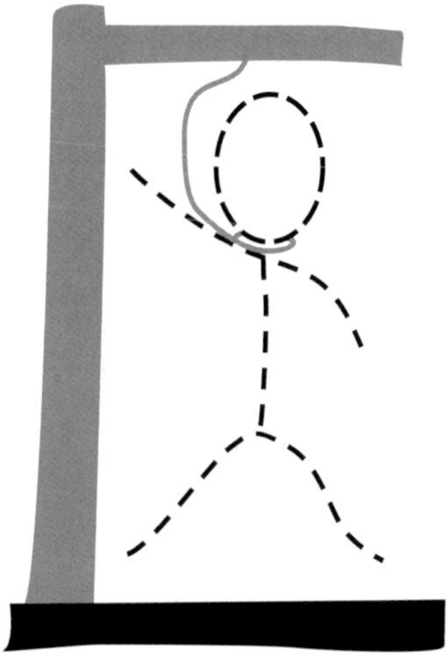

A B C D E F G H

I J K L M N O P Q

R S T U V W X Y Z

_ _ _ _ _ _

1 2 3 4 5 6

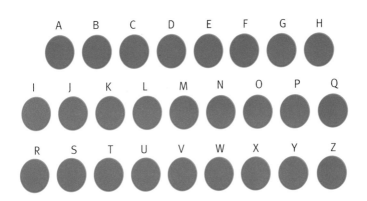

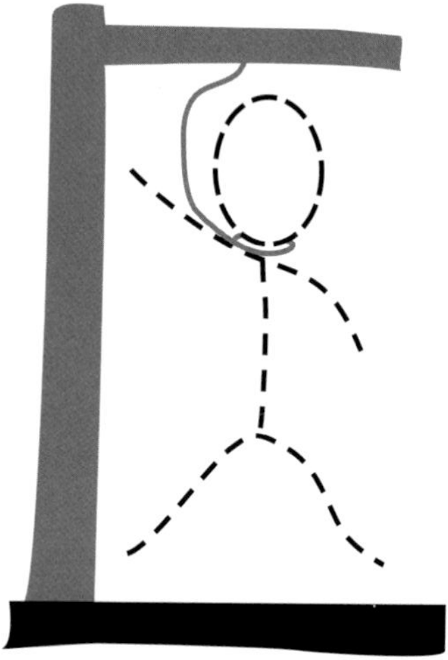

A B C D E F G H

I J K L M N O P Q

R S T U V W X Y Z

1 2 3 4 5 6 7 8 9 10

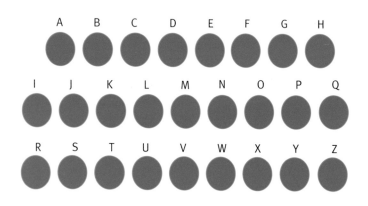

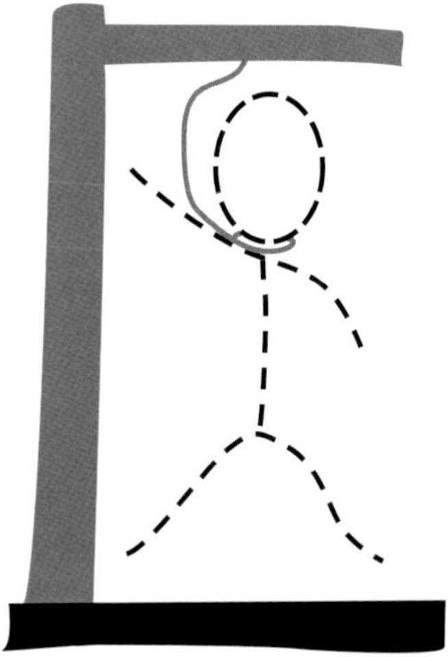

A B C D E F G H

I J K L M N O P Q

R S T U V W X Y Z

___ ___ ___ ___ ___ ___
1 2 3 4 5 6

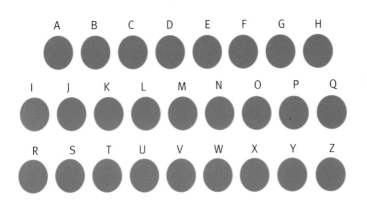

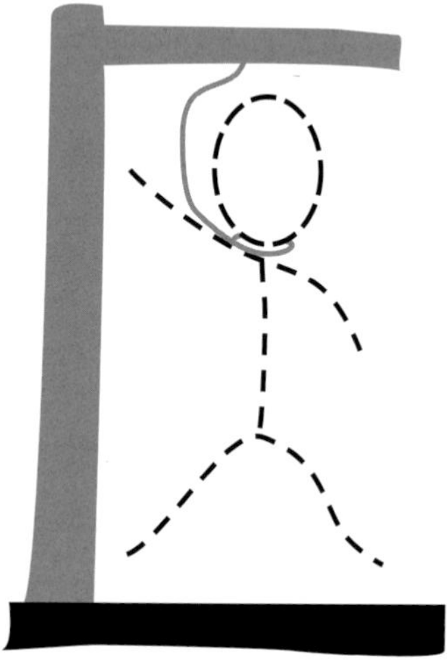

A B C D E F G H

I J K L M N O P Q

R S T U V W X Y Z

_1_ _2_ _3_ _4_ _5_ _6_ _7_

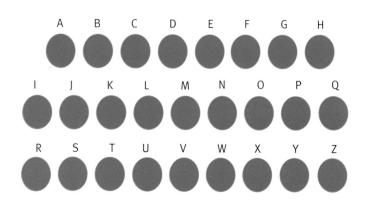

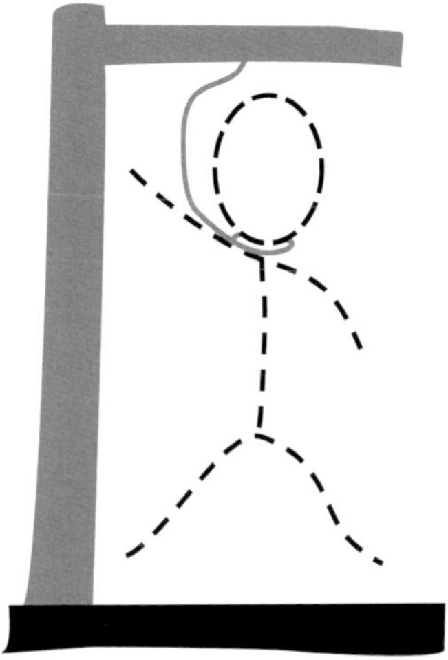

A B C D E F G H

I J K L M N O P Q

R S T U V W X Y Z

_ _ _ _ - _ _ _ _

1 2 3 4 5 6 7 8

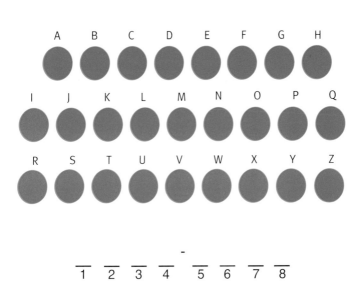

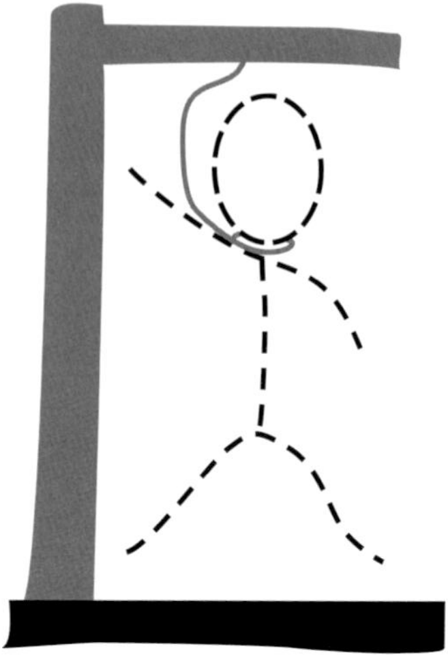

A B C D E F G H

I J K L M N O P Q

R S T U V W X Y Z

_1_ _2_ _3_ _4_ _5_

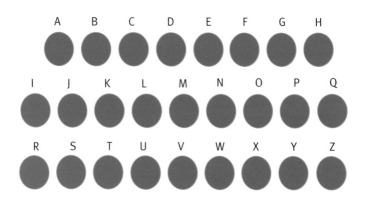

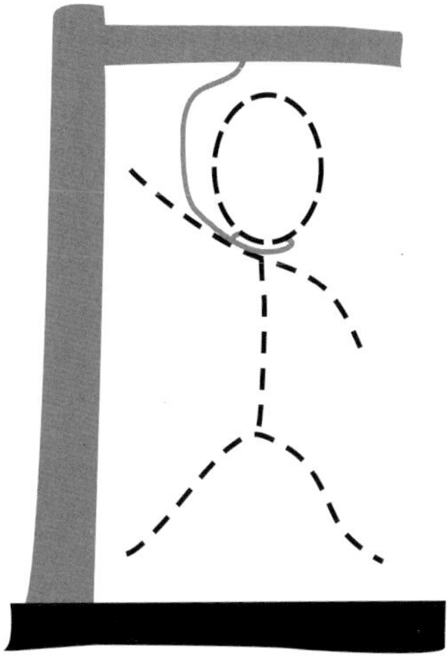

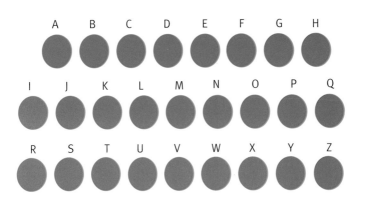

A	B	C	D	E	F	G	H	
I	J	K	L	M	N	O	P	Q
R	S	T	U	V	W	X	Y	Z

__ __ __ __ __ __ __ __ __ __
1 2 3 4 5 6 7 8 9 10

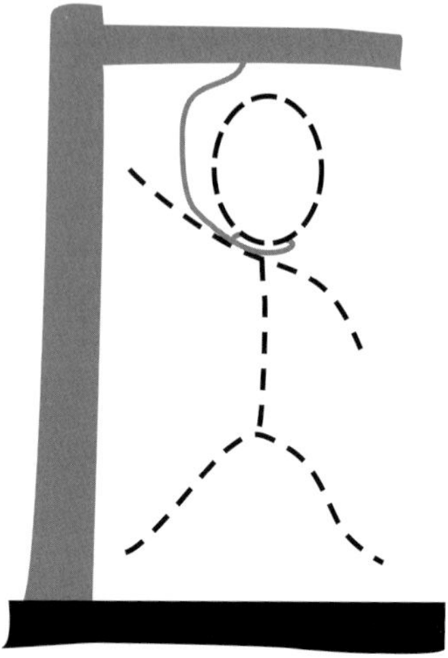

A B C D E F G H

I J K L M N O P Q

R S T U V W X Y Z

1 2 3 4 5 6 7 8 9 10

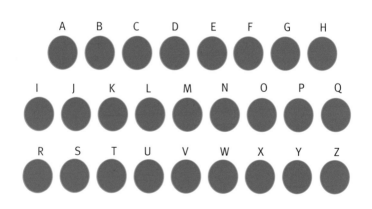

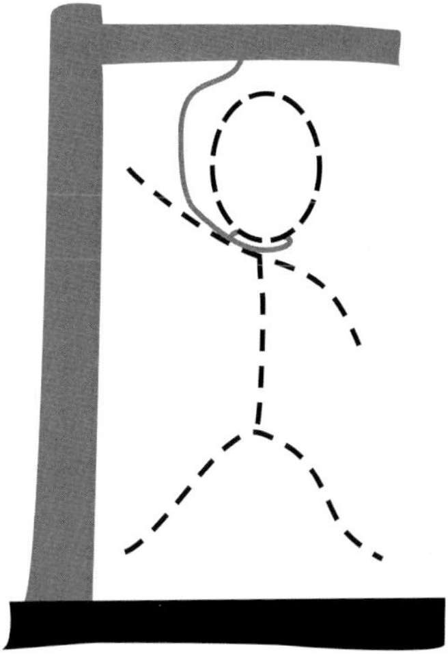

A B C D E F G H

I J K L M N O P Q

R S T U V W X Y Z

_ _ _ _ _ _ _ _
1 2 3 4 5 6 7 8

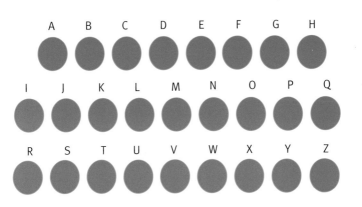

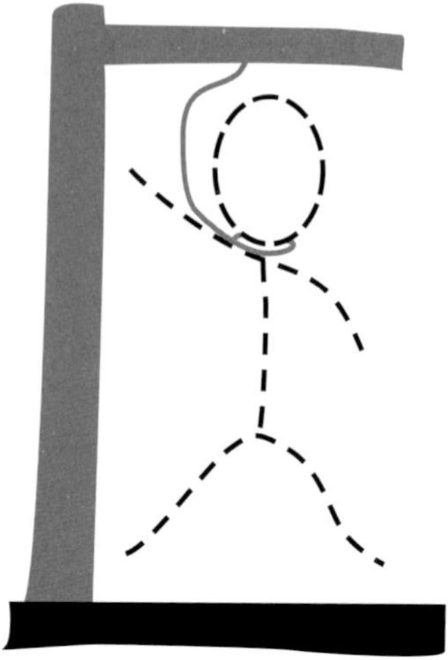

A B C D E F G H

I J K L M N O P Q

R S T U V W X Y Z

_1_ _2_ _3_ _4_ _5_ _6_ _7_ _8_ _9_

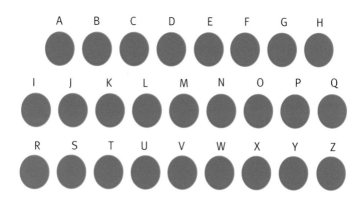

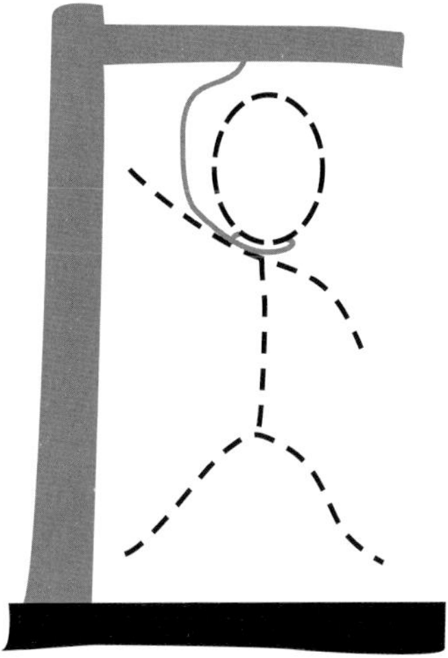

A B C D E F G H

I J K L M N O P Q

R S T U V W X Y Z

___ ___ ___ ___ ___ ___ ___ ___
1 2 3 4 5 6 7 8

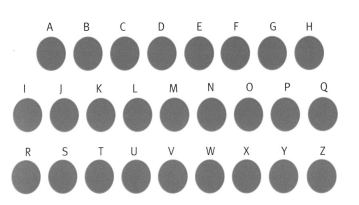

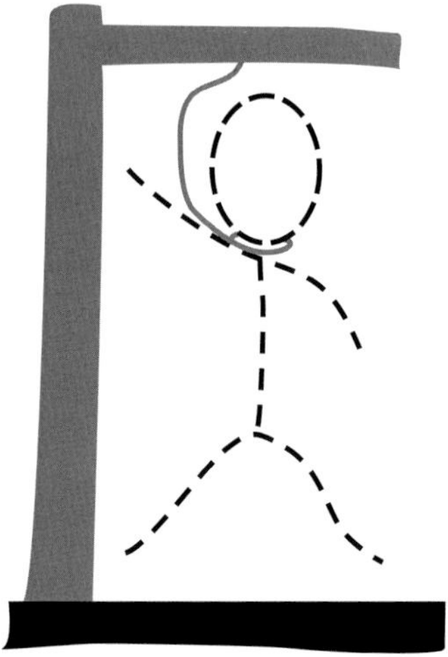

A B C D E F G H

I J K L M N O P Q

R S T U V W X Y Z

_ _ _ _ _ _ _ _ _

1 2 3 4 5 6 7 8 9

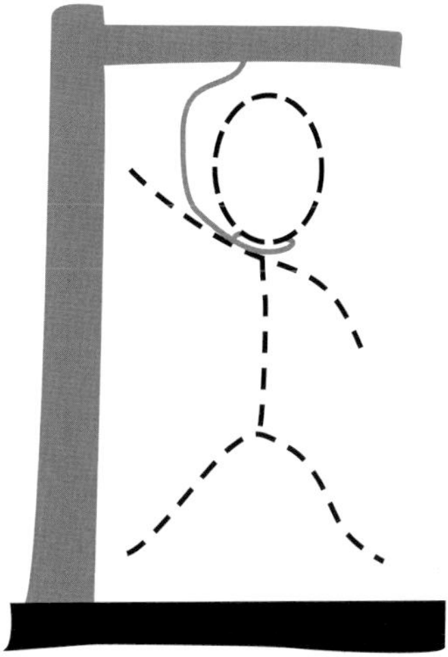

A B C D E F G H

I J K L M N O P Q

R S T U V W X Y Z

_ _ _ _ _ _

1 2 3 4 5 6

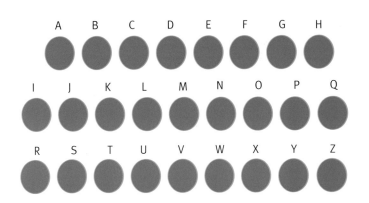

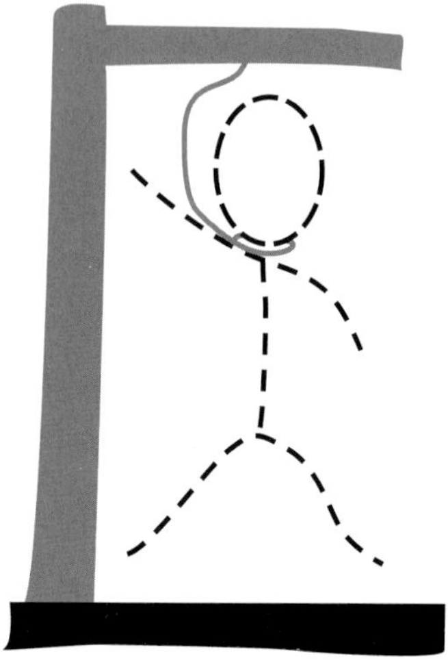

A B C D E F G H

I J K L M N O P Q

R S T U V W X Y Z

_ _ _ _ _ _ _
1 2 3 4 5 6 7

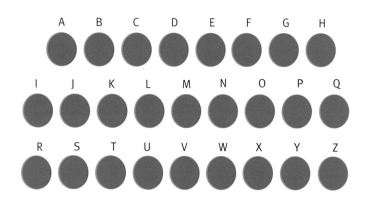

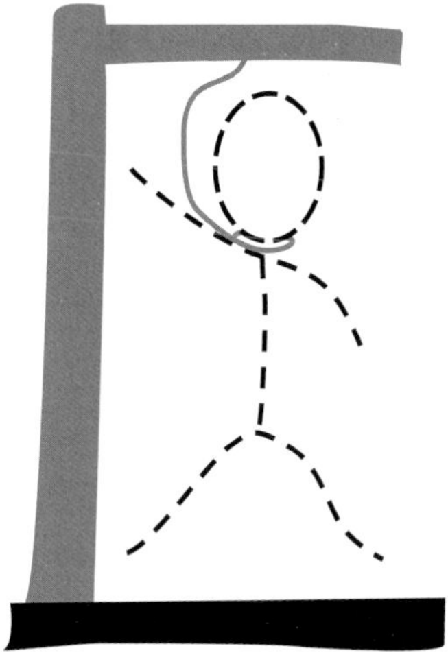

A B C D E F G H

I J K L M N O P Q

R S T U V W X Y Z

1 2 3 4 5 6

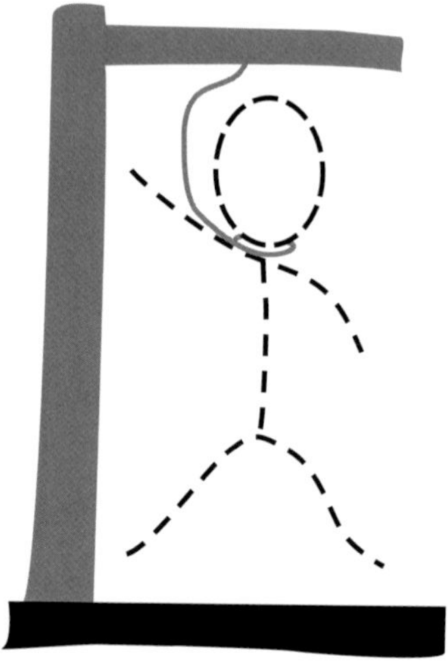

A B C D E F G H

I J K L M N O P Q

R S T U V W X Y Z

_ _ _ _ _ _ _ _ _

1 2 3 4 5 6 7 8 9

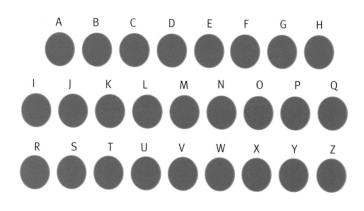

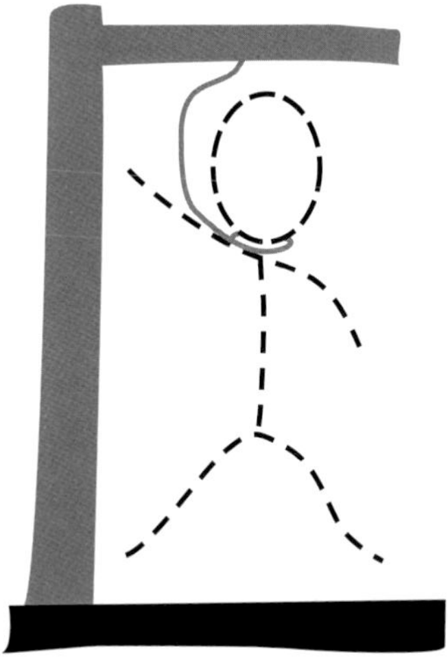

A B C D E F G H

I J K L M N O P Q

R S T U V W X Y Z

_ _ _ _ _ _ _ _

1 2 3 4 5 6 7 8

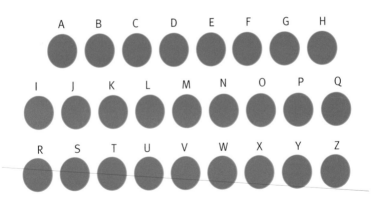

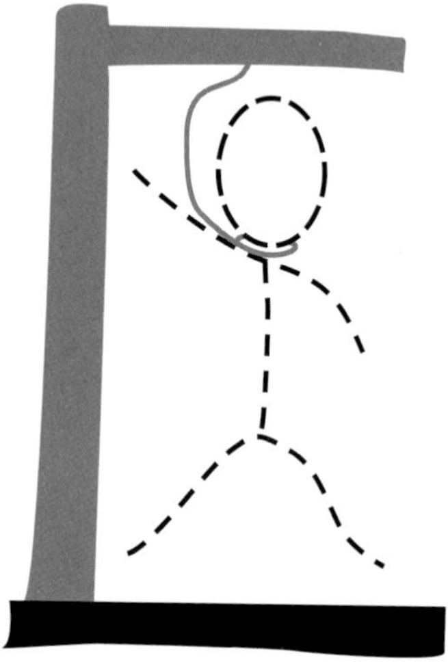

A B C D E F G H

I J K L M N O P Q

R S T U V W X Y Z

_ _ _ _ _

1 2 3 4 5

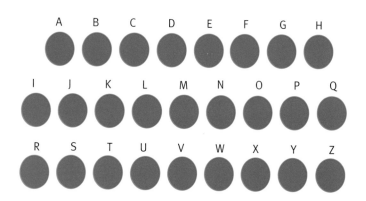

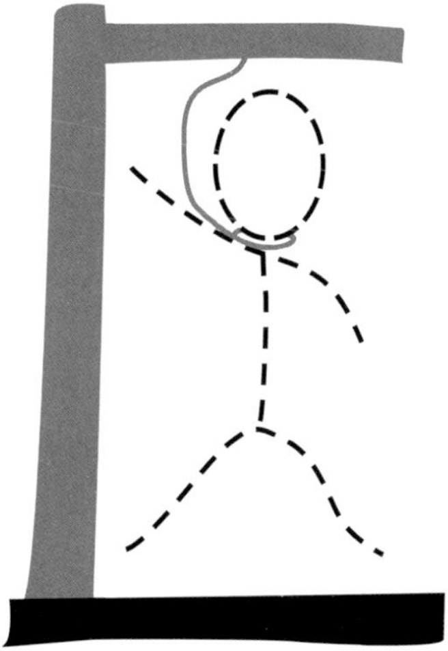

A B C D E F G H

I J K L M N O P Q

R S T U V W X Y Z

_ _ _ _ _

1 2 3 4 5

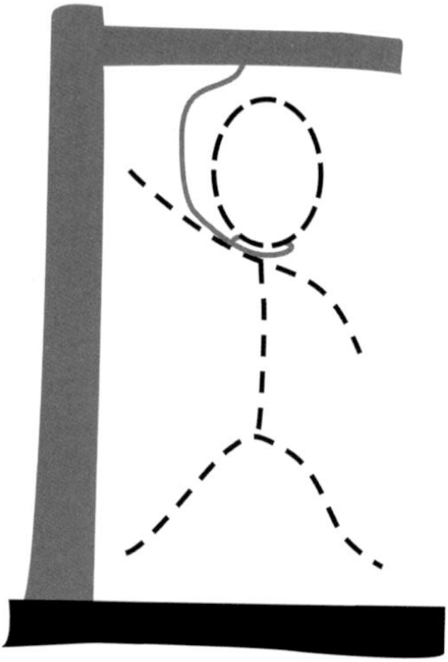

A B C D E F G H

I J K L M N O P Q

R S T U V W X Y Z

_ _ _ _ _ _ _ _ _

1 2 3 4 5 6 7 8 9

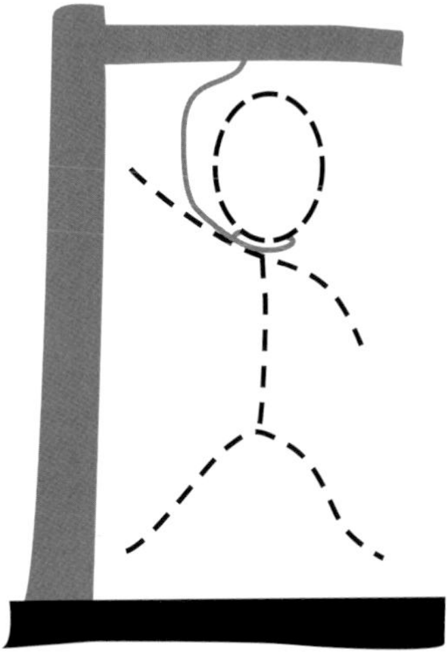

A B C D E F G H

I J K L M N O P Q

R S T U V W X Y Z

_ _ _ _ _ _ _ - _ _ _ _

1 2 3 4 5 6 7 8 9 10 11

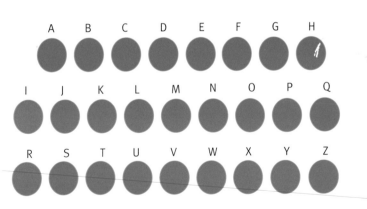

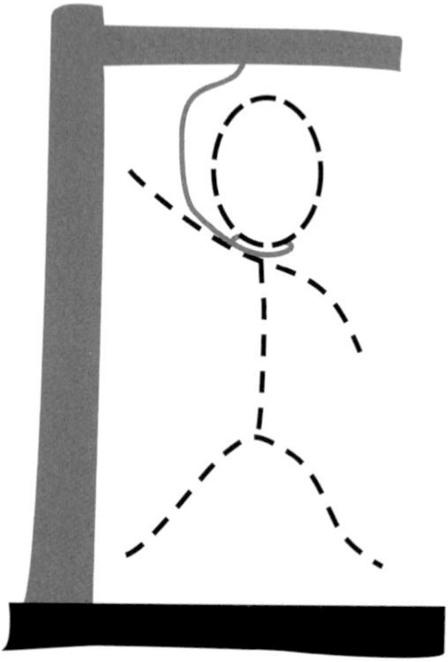

A B C D E F G H

I J K L M N O P Q

R S T U V W X Y Z

_ _ _ _ _ _ _ _ _ _ _ _

1 2 3 4 5 6 7 8 9 10 11 12

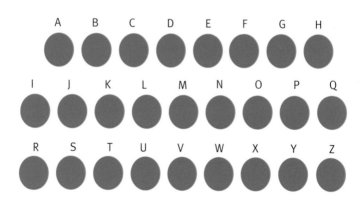

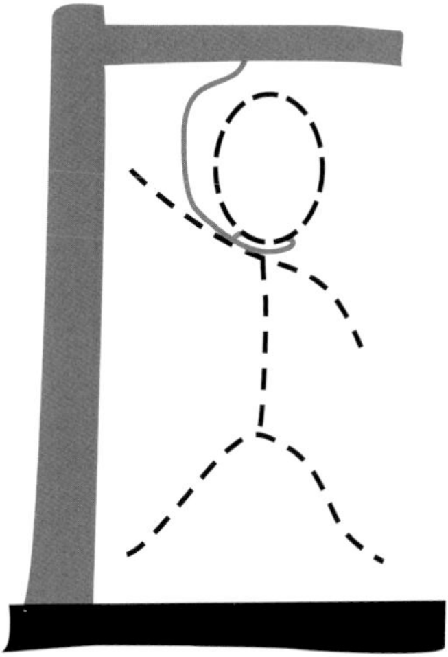

A B C D E F G H

I J K L M N O P Q

R S T U V W X Y Z

_ _ _ _ _ _   _ _ _ _
1 2 3 4 5 6   7 8 9 10

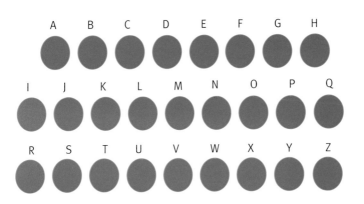

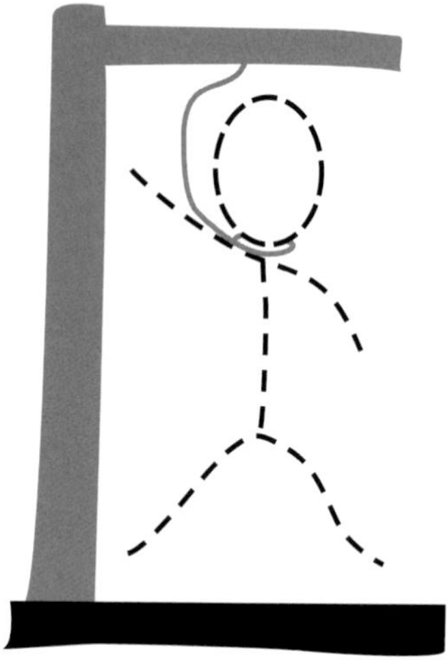

A B C D E F G H

I J K L M N O P Q

R S T U V W X Y Z

_1_ _2_ _3_ _4_ _5_ _6_

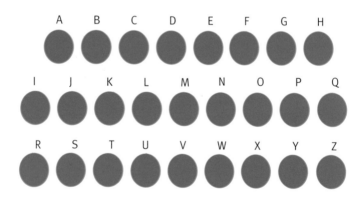

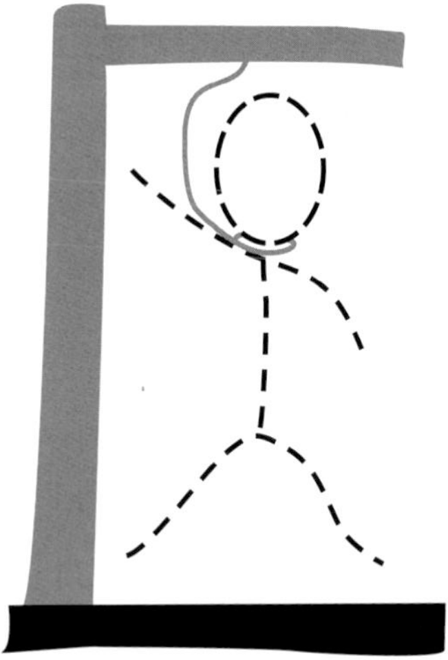

A B C D E F G H

I J K L M N O P Q

R S T U V W X Y Z

__ __ __ __ __ __ __ __ __ __ __ __

1 2 3 4 5 6 7 8 9 10 11 12

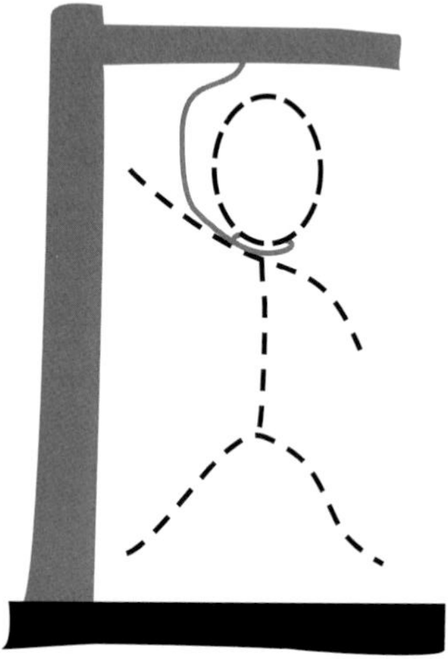

A B C D E F G H

I J K L M N O P Q

R S T U V W X Y Z

___ ___ ___ ___ ___
1 2 3 4 5

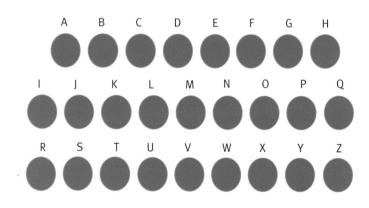

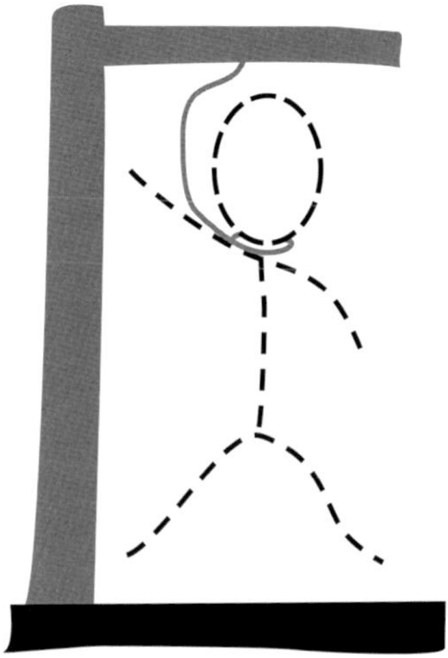

A B C D E F G H

I J K L M N O P Q

R S T U V W X Y Z

_ _ _ _ _ _ _ _
1 2 3 4 5 6 7 8

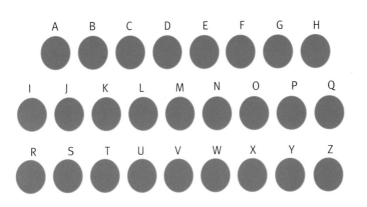

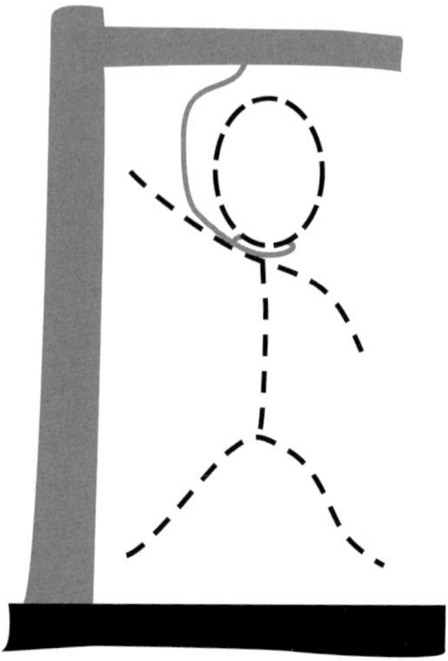

A B C D E F G H

I J K L M N O P Q

R S T U V W X Y Z

_1 _2 _3 _4 _5 _6 _7 _8

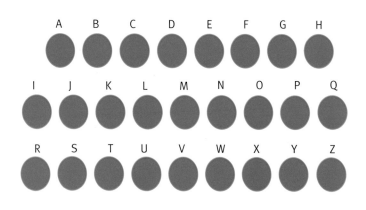

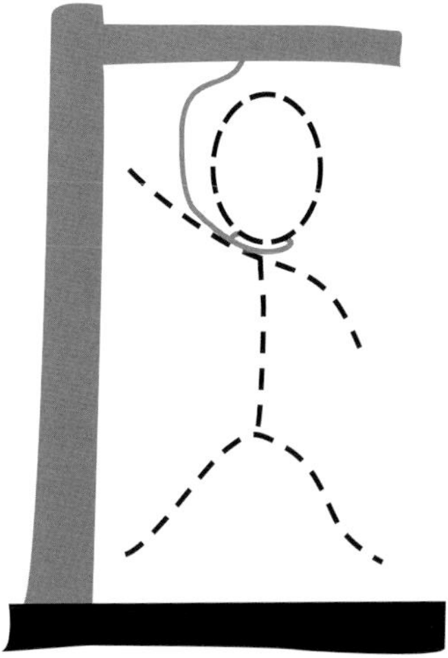

A B C D E F G H

I J K L M N O P Q

R S T U V W X Y Z

_ _ _ _ _ _
1 2 3 4 5 6

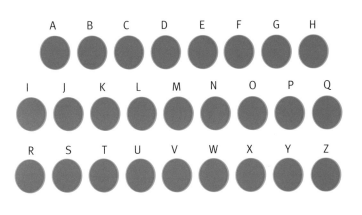

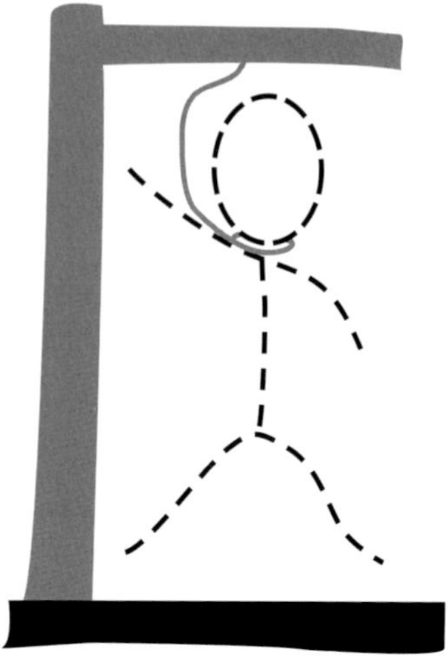

A B C D E F G H

I J K L M N O P Q

R S T U V W X Y Z

1 2 3 4 5 6 7

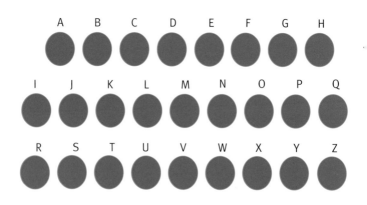

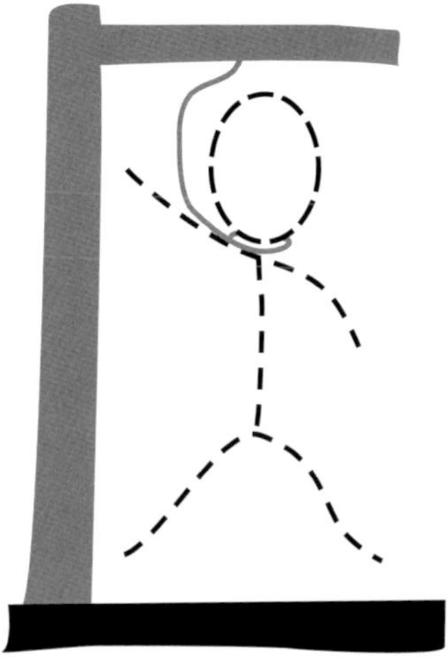

A B C D E F G H

I J K L M N O P Q

R S T U V W X Y Z

_1 _2 _3 _4 _5 -

_6 _7 _8 _9 _10 _11 _12 _13 _14

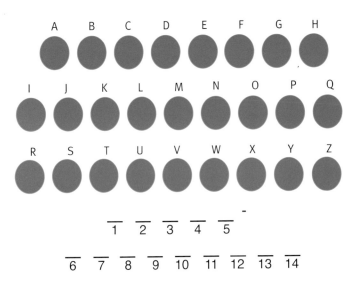

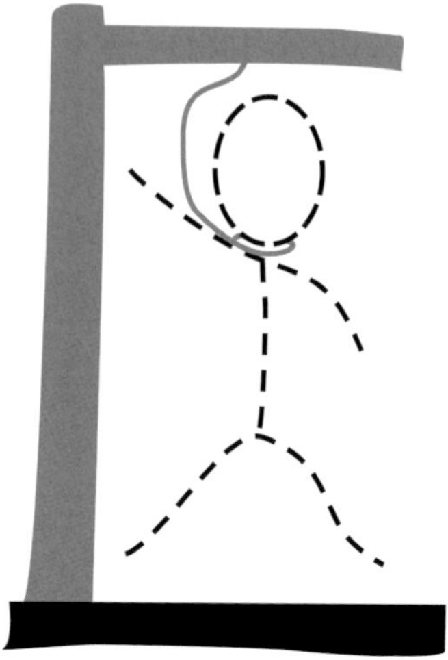

A B C D E F G H

I J K L M N O P Q

R S T U V W X Y Z

_ _ _ _ _ _
1 2 3 4 5 6

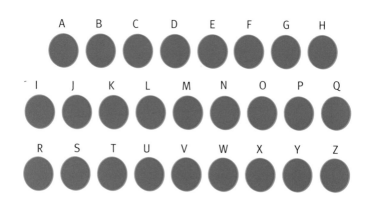

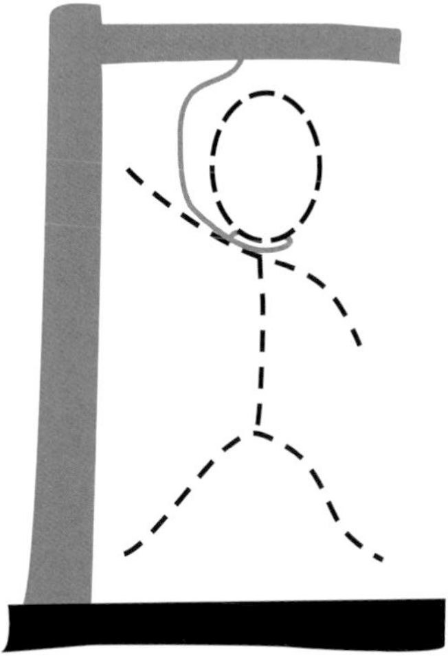

A B C D E F G H

I J K L M N O P Q

R S T U V W X Y Z

_ _ _ _
1 2 3 4

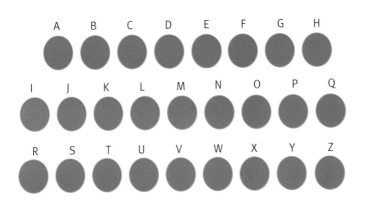

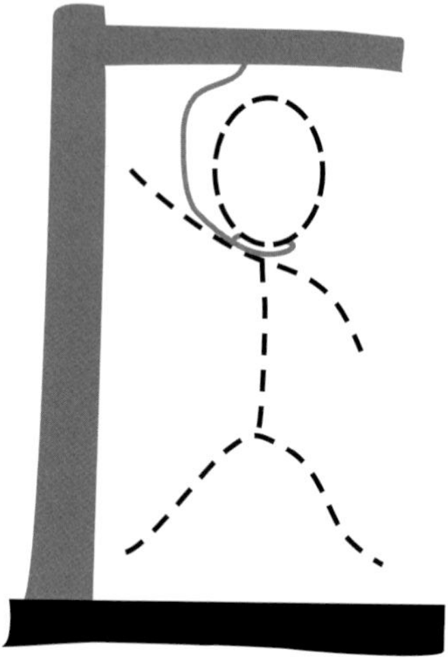

A B C D E F G H

I J K L M N O P Q

R S T U V W X Y Z

___ ___ ___ ___ ___ ___ ___ ___ ___
1 2 3 4 5 6 7 8 9

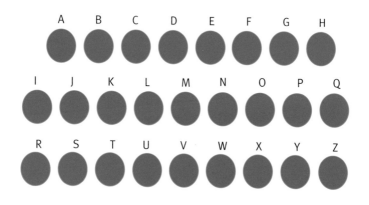

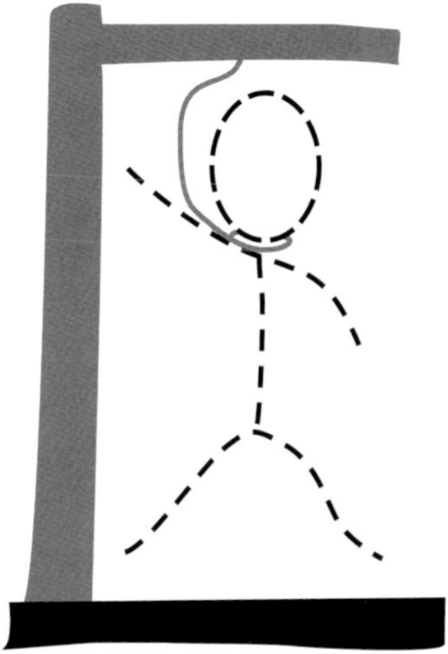

A B C D E F G H

I J K L M N O P Q

R S T U V W X Y Z

_ _ _ _ _ _ _ _ _

1 2 3 4 5 6 7 8 9

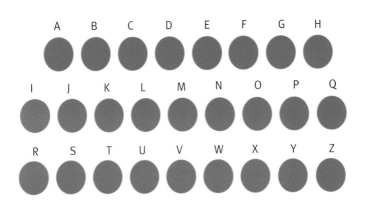

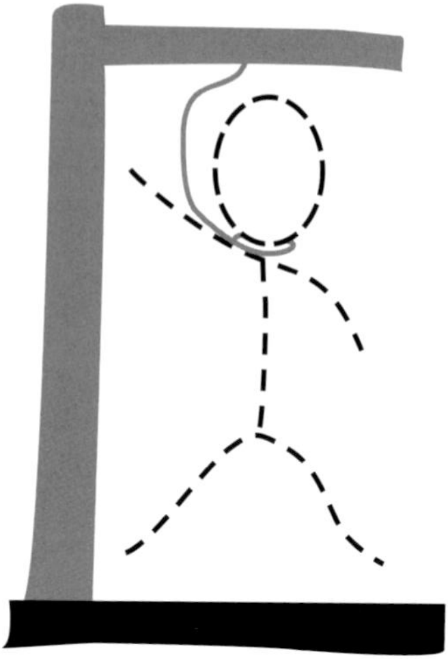

A B C D E F G H

I J K L M N O P Q

R S T U V W X Y Z

_ _ _ _ _ _ _

1 2 3 4 5 6 7

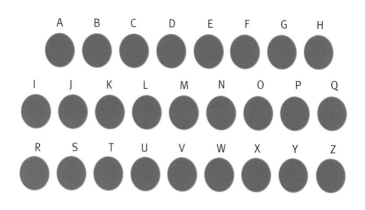

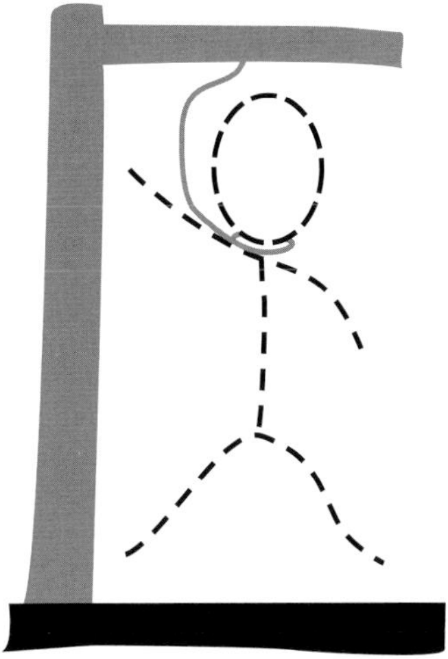

A B C D E F G H

I J K L M N O P Q

R S T U V W X Y Z

_ _ _ _ _ _ _ _ _

1 2 3 4 5 6 7 8 9

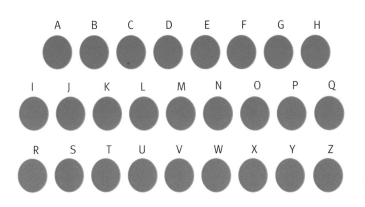

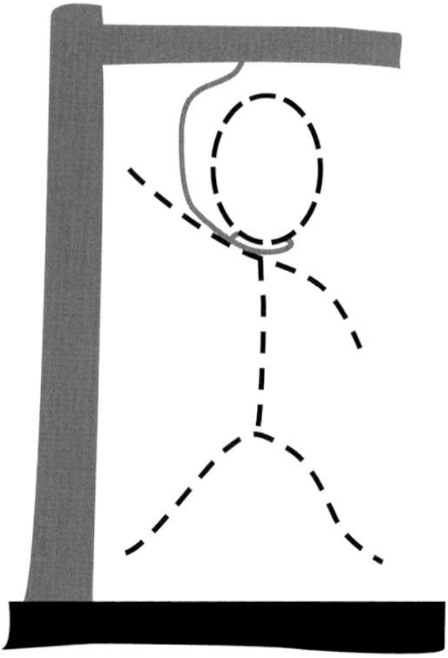

A B C D E F G H

I J K L M N O P Q

R S T U V W X Y Z

_ _ _ _ _ _ _ _ _

1 2 3 4 5 6 7 8 9

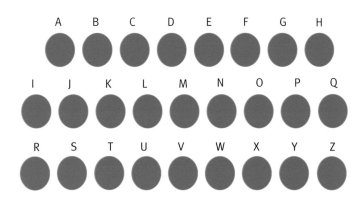

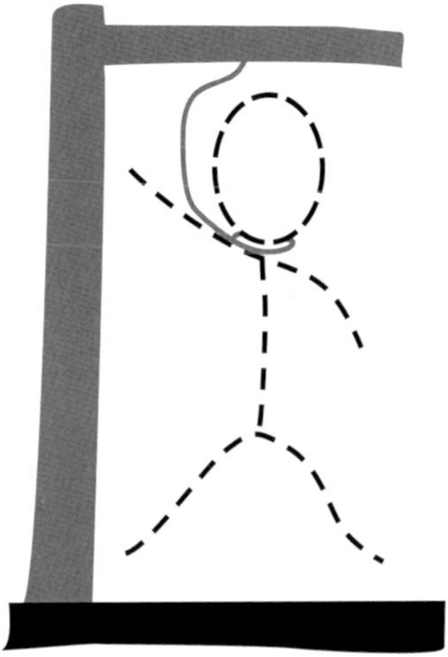

A B C D E F G H

I J K L M N O P Q

R S T U V W X Y Z

_ _ _ _ _ _ _ _ _

1 2 3 4 5 6 7 8 9

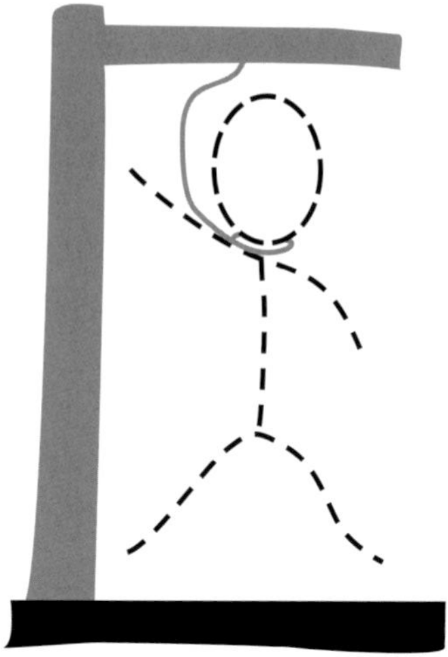

A B C D E F G H

I J K L M N O P Q

R S T U V W X Y Z

_ _ _ _ _ _ _

1 2 3 4 5 6 7

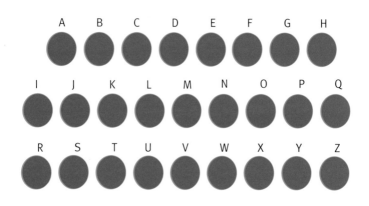

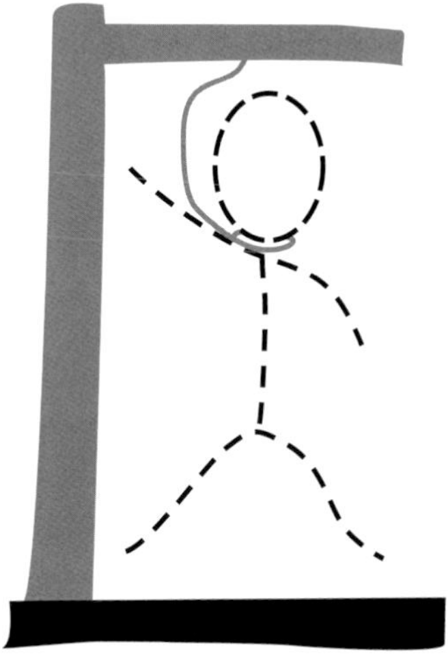

A B C D E F G H

I J K L M N O P Q

R S T U V W X Y Z

_1_ _2_ _3_ _4_ _5_ _6_

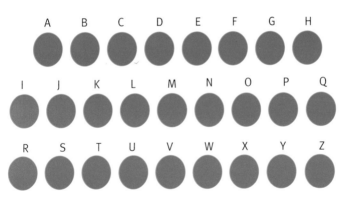

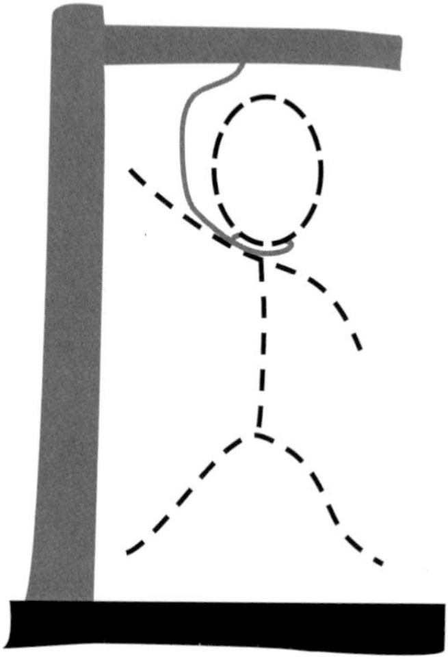

A B C D E F G H

I J K L M N O P Q

R S T U V W X Y Z

_ _ _ _ _ _ _ _ _ _ _
1 2 3 4 5 6 7 8 9 10 11

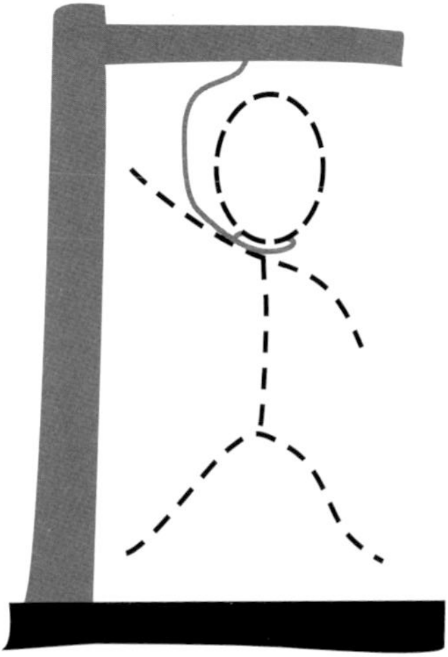

A B C D E F G H

I J K L M N O P Q

R S T U V W X Y Z

_ _ _ _ _ _
1 2 3 4 5 6

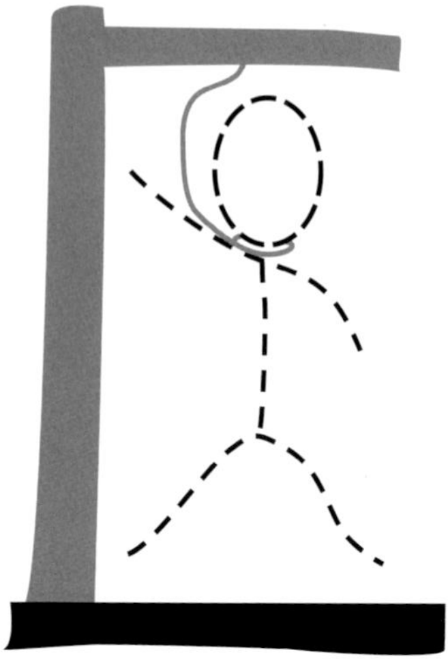

A B C D E F G H

I J K L M N O P Q

R S T U V W X Y Z

___ ___ ___ ___ ___
1 2 3 4 5

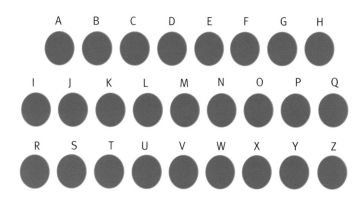

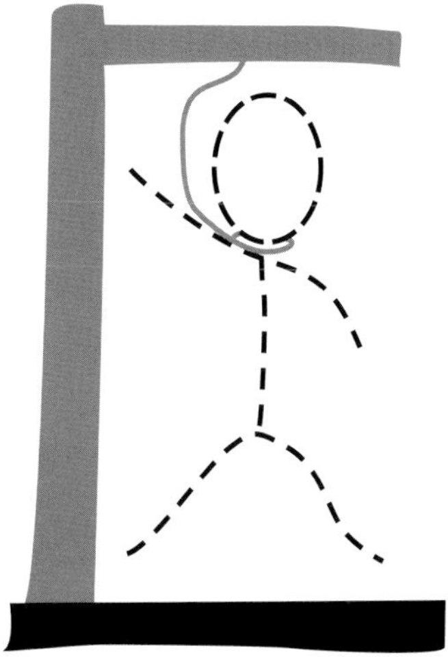

A B C D E F G H

I J K L M N O P Q

R S T U V W X Y Z

_ _ _ _ _ _ _

1 2 3 4 5 6 7

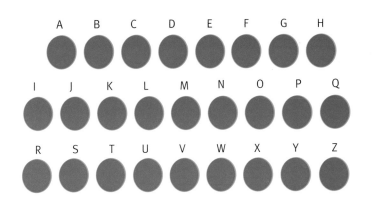

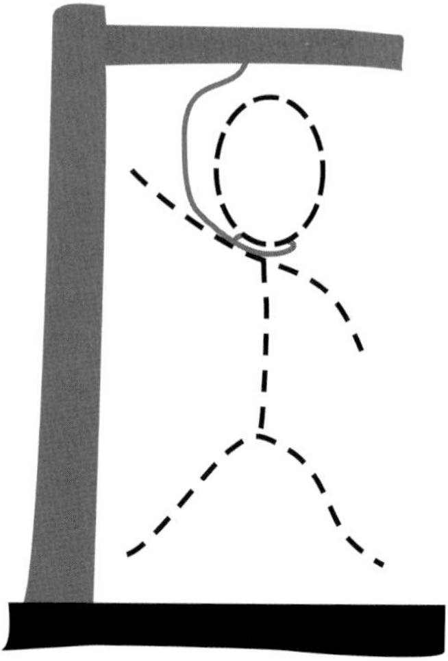

A	B	C	D	E	F	G	H	
I	J	K	L	M	N	O	P	Q
R	S	T	U	V	W	X	Y	Z

_ _ _ _ _ _

1 2 3 4 5 6

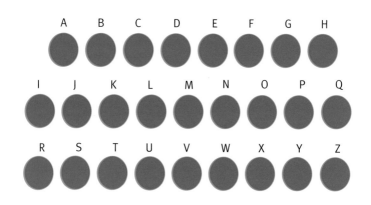

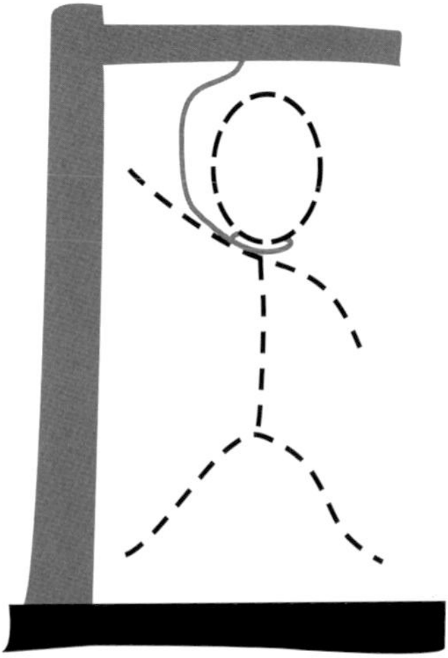

A B C D E F G H

I J K L M N O P Q

R S T U V W X Y Z

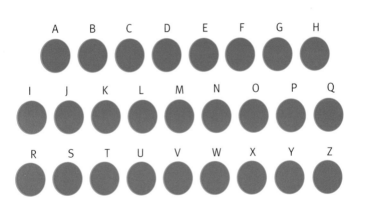

__ __ __ __ __ __ __ __ __ __ __
1 2 3 4 5 6 7 8 9 10 11

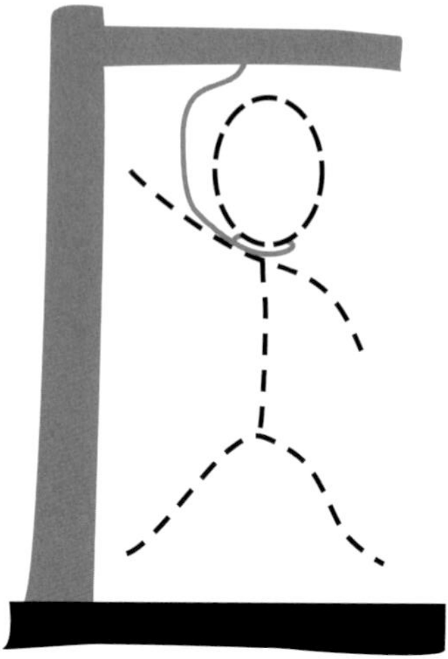

A B C D E F G H

I J K L M N O P Q

R S T U V W X Y Z

_ _ _ _ _ _ - _ _ _ _

1 2 3 4 5 6 7 8 9 10

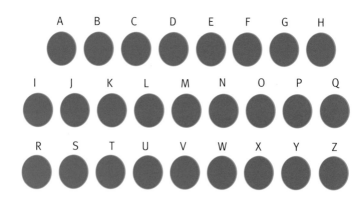

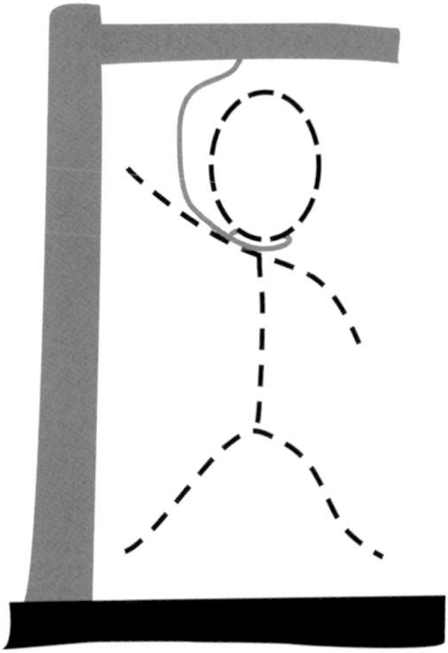

A B C D E F G H

I J K L M N O P Q

R S T U V W X Y Z

_1 _2 _3 _4 _5 _6 _7 _8 _9 _10

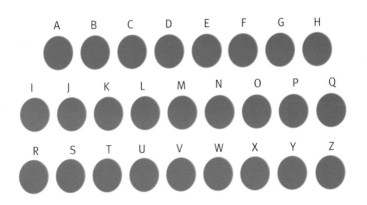

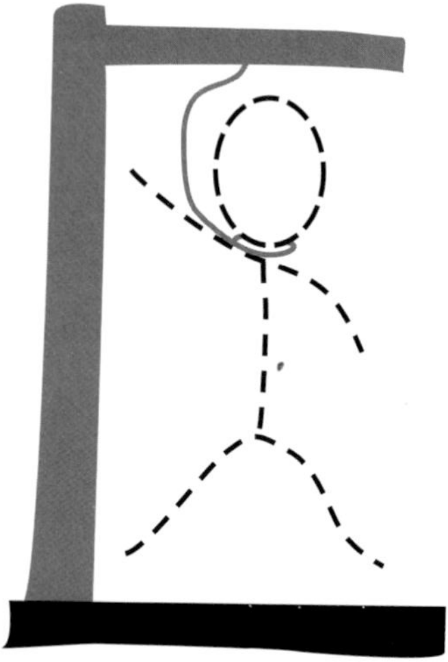

A B C D E F G H

I J K L M N O P Q

R S T U V W X Y Z

_ _ _ _ _ _ - _ _ _ _

1 2 3 4 5 6 7 8 9 10

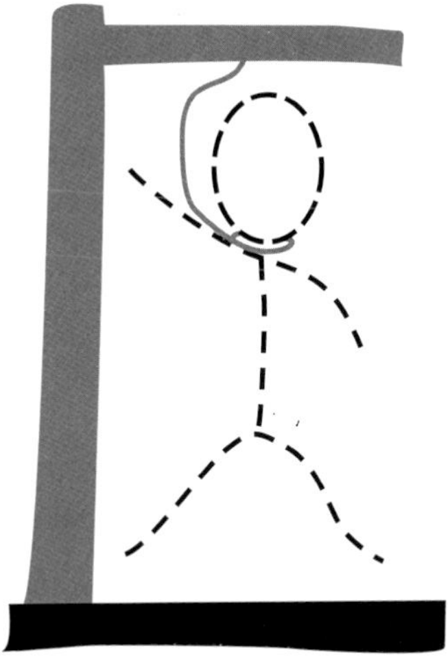

A B C D E F G H

I J K L M N O P Q

R S T U V W X Y Z

_ _ _ _ _ _ _ _ _

1 2 3 4 5 6 7 8 9

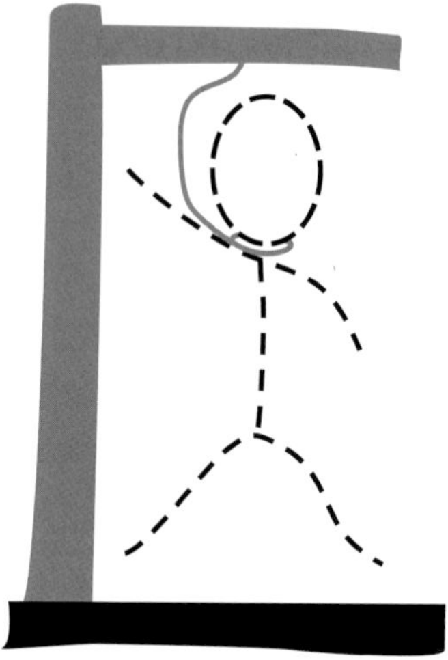

A B C D E F G H

I J K L M N O P Q

R S T U V W X Y Z

_1_ _2_ _3_ _4_ _5_ _6_ _7_ _8_ _9_

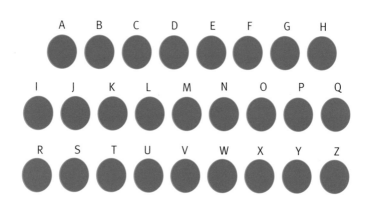

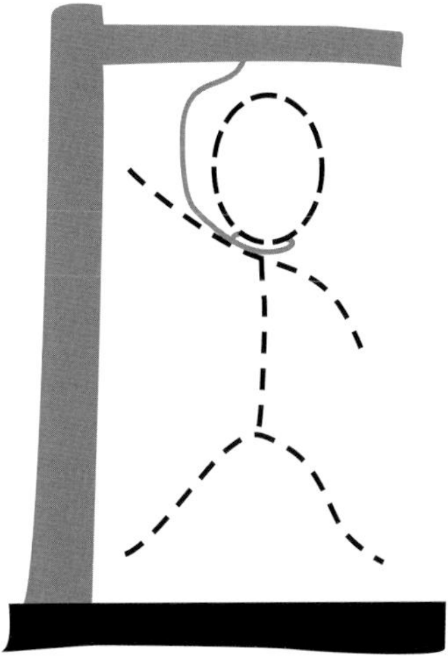

A B C D E F G H

I J K L M N O P Q

R S T U V W X Y Z

_ _ _ _ _ _ _ _ _ _

1 2 3 4 5 6 7 8 9 10

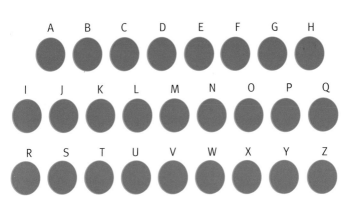

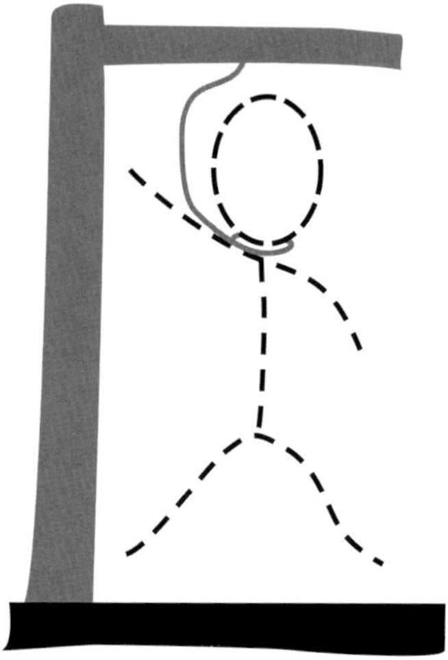

A B C D E F G H

I J K L M N O P Q

R S T U V W X Y Z

_ _ _ _ _ _
1 2 3 4 5 6

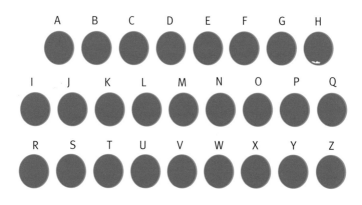

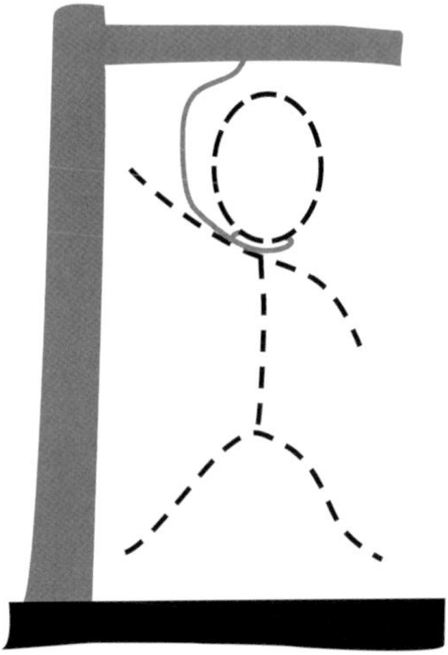

A B C D E F G H

I J K L M N O P Q

R S T U V W X Y Z

_ _ _ _ _ _ _ -

1 2 3 4 5 6 7

_ _ _ _ _ _ _

8 9 10 11 12 13 14

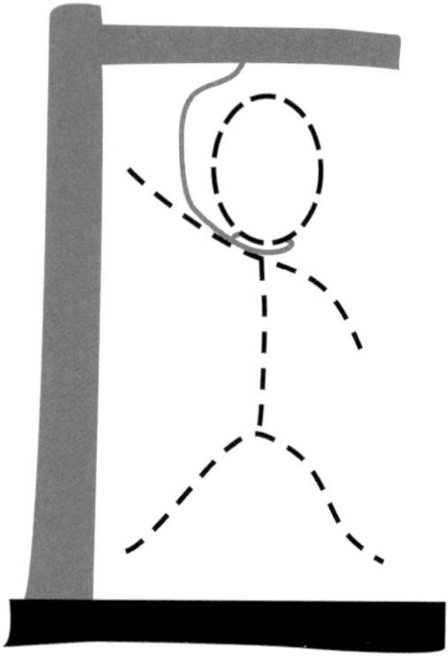

A B C D E F G H

I J K L M N O P Q

R S T U V W X Y Z

_ _ _ _ _ _ _ _
1 2 3 4 5 6 7 8

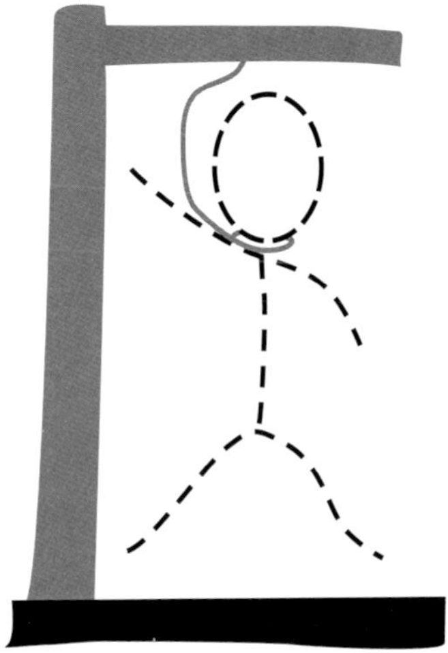

A B C D E F G H

I J K L M N O P Q

R S T U V W X Y Z

__ __ __ __ __ __ __ __ __ __

1 2 3 4 5 6 7 8 9 10

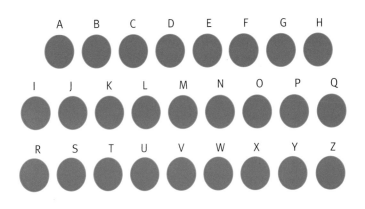

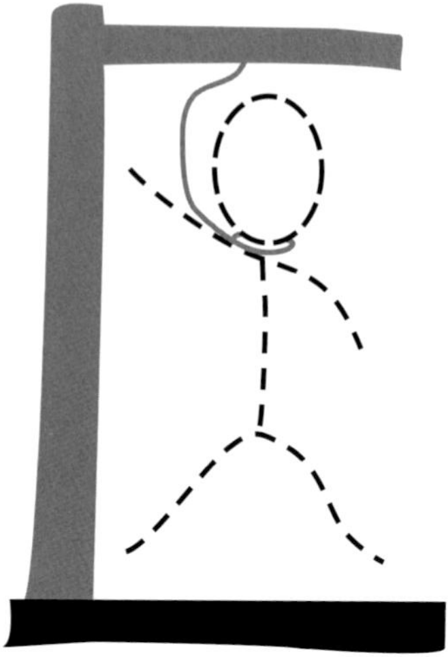

A B C D E F G H

I J K L M N O P Q

R S T U V W X Y Z

_ _ _ _ _ _ _

1 2 3 4 5 6 7

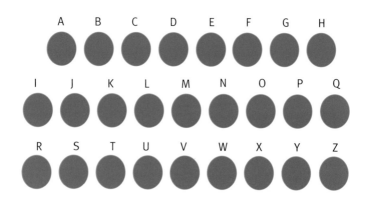

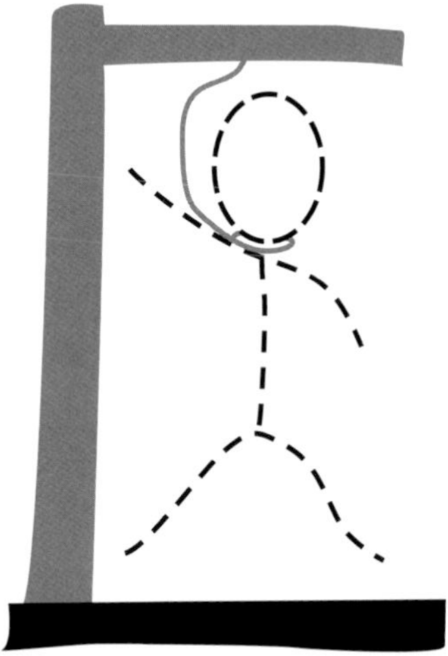

A B C D E F G H

I J K L M N O P Q

R S T U V W X Y Z

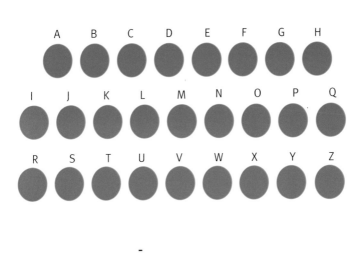

_1_ _2_ _3_ _4_ - _5_ _6_ _7_ _8_ _9_ _10_ _11_

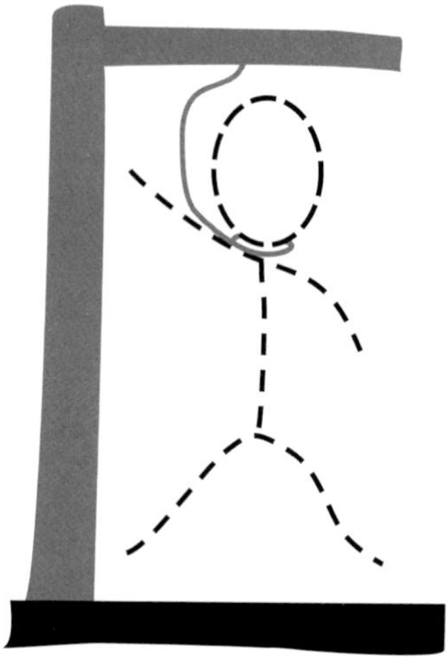

A B C D E F G H

I J K L M N O P Q

R S T U V W X Y Z

_ _ _ _ _ _ _ _ _ _ _ _
1 2 3 4 5 6 7 8 9 10 11 12

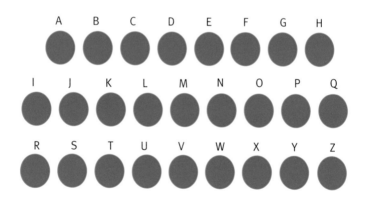

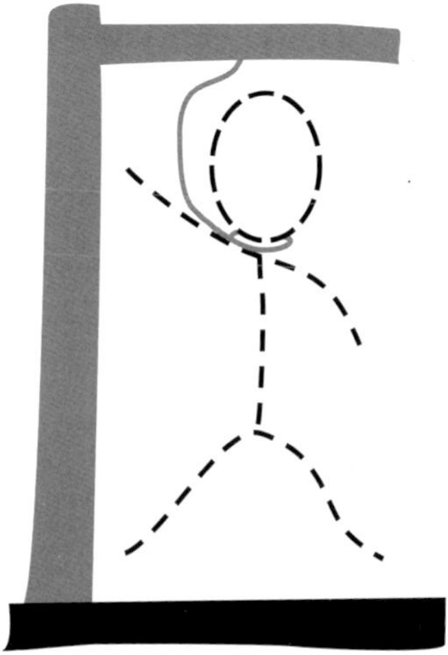

A B C D E F G H

I J K L M N O P Q

R S T U V W X Y Z

_ _ _ _ _ _ _ _ _
1 2 3 4 5 6 7 8 9

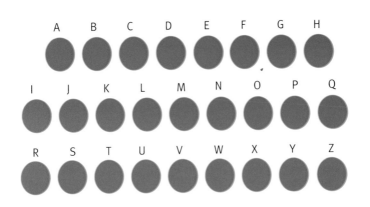

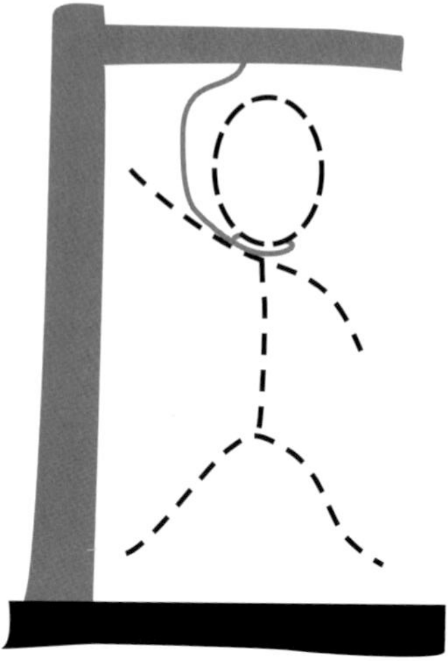

A B C D E F G H

I J K L M N O P Q

R S T U V W X Y Z

_ _ _ _ _ _ _ _ _

1 2 3 4 5 6 7 8 9

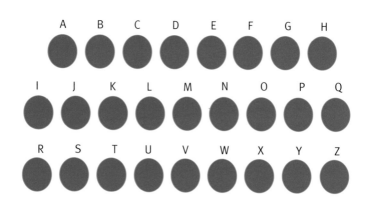

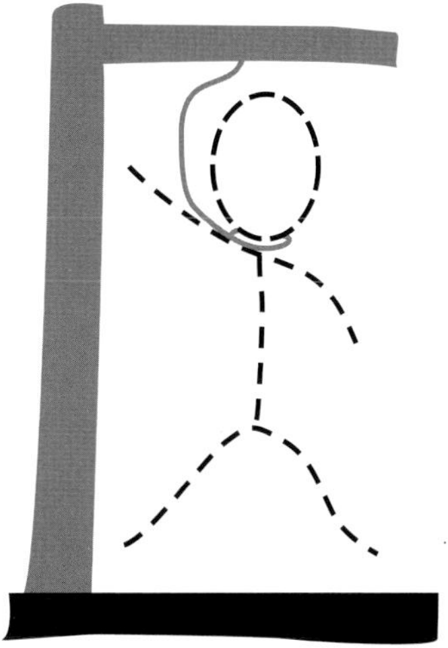

A B C D E F G H

I J K L M N O P Q

R S T U V W X Y Z

__ __ __ __ __ __ __ __ __ __
1 2 3 4 5 6 7 8 9 10

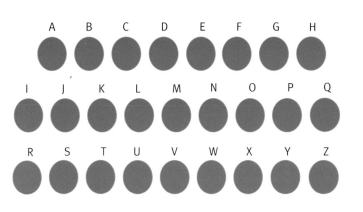

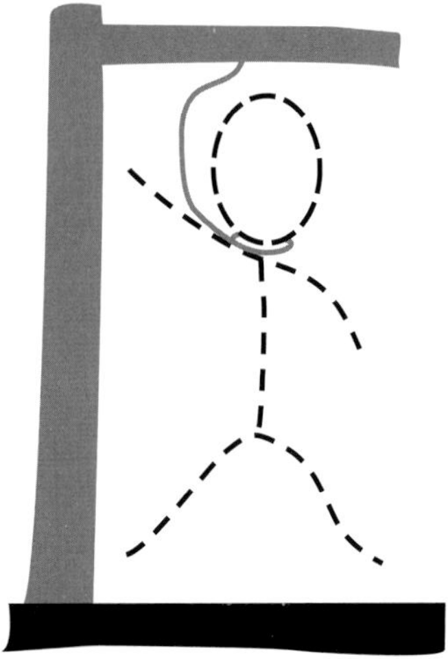

A B C D E F G H

I J K L M N O P Q

R S T U V W X Y Z

_ _ _ _ _ _ _ _ _ _

1 2 3 4 5 6 7 8 9 10

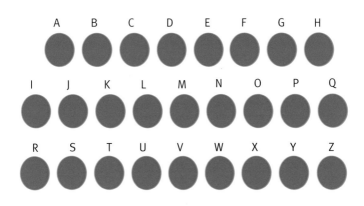

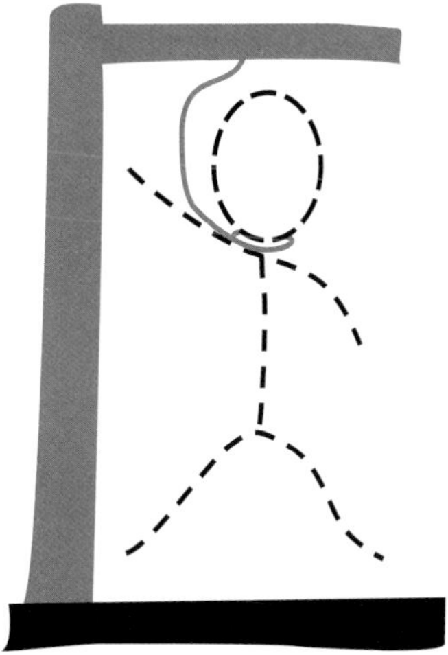

A B C D E F G H

I J K L M N O P Q

R S T U V W X Y Z

_ _ _ _ _ _ _ _ _

1 2 3 4 5 6 7 8 9

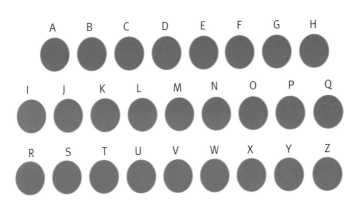

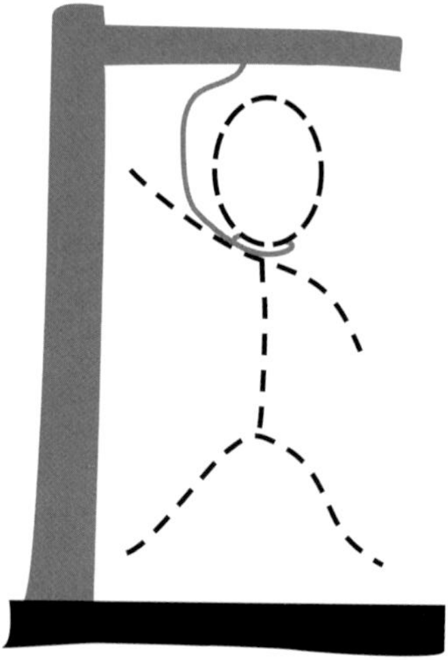

A B C D E F G H

I J K L M N O P Q

R S T U V W X Y Z

1 2 3 4 5 6

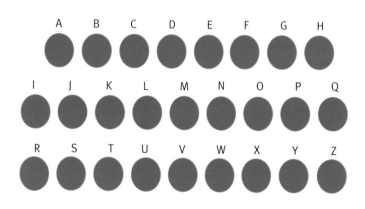

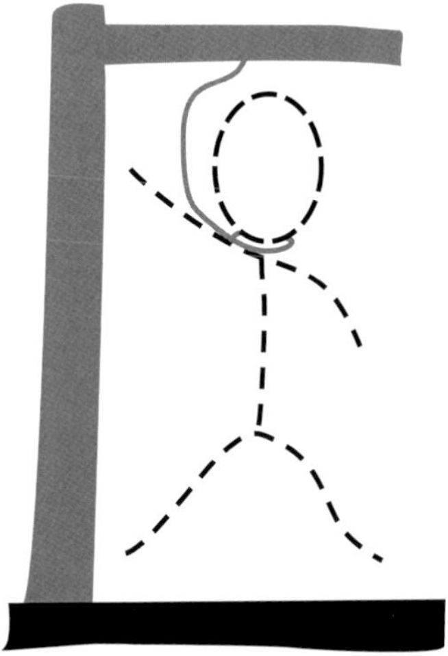

A B C D E F G H

I J K L M N O P Q

R S T U V W X Y Z

_ _ _ _ _ _ _ _ _

1 2 3 4 5 6 7 8 9

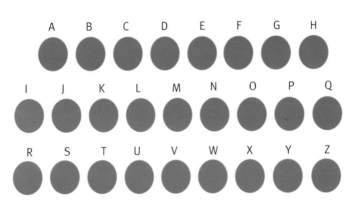

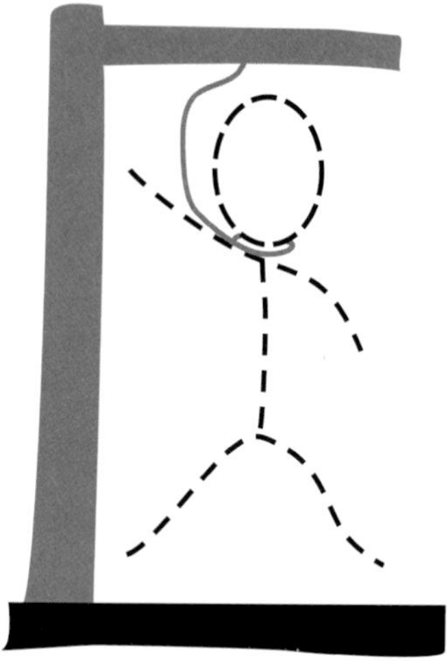

A B C D E F G H

I J K L M N O P Q

R S T U V W X Y Z

___ ___ ___ ___ ___ ___
1 2 3 4 5 6

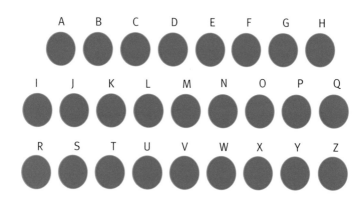

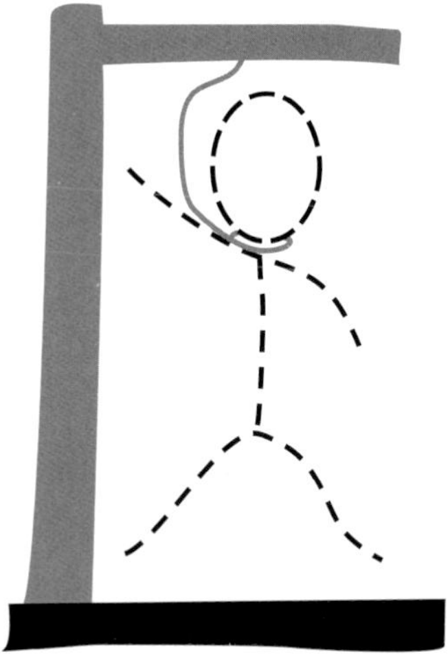

A B C D E F G H

I J K L M N O P Q

R S T U V W X Y Z

__ __ __ __ __ __ __ __ __ __ __
1 2 3 4 5 6 7 8 9 10 11

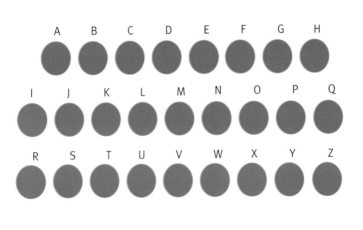

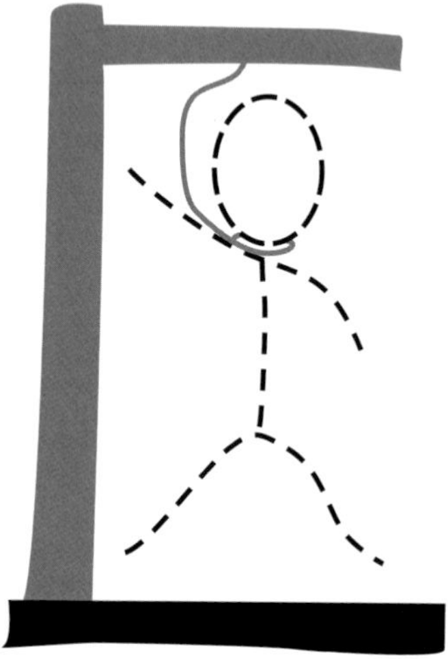

A B C D E F G H

I J K L M N O P Q

R S T U V W X Y Z

_ _ _ _ _ _ _ _ _

1 2 3 4 5 6 7 8 9

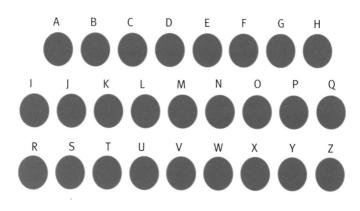

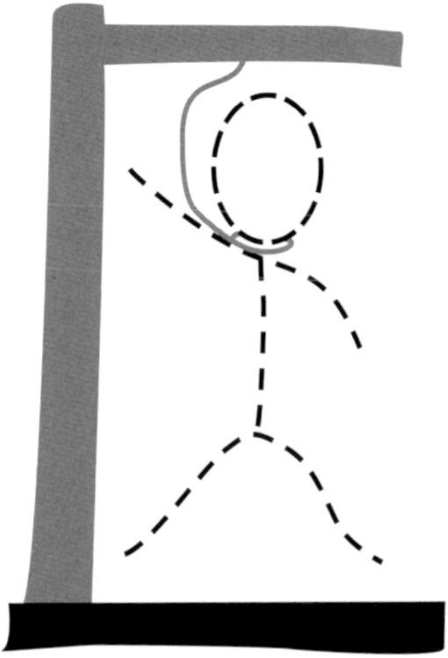

A B C D E F G H

I J K L M N O P Q

R S T U V W X Y Z

_ _ _ _ _ _
1 2 3 4 5 6

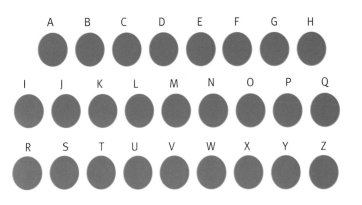

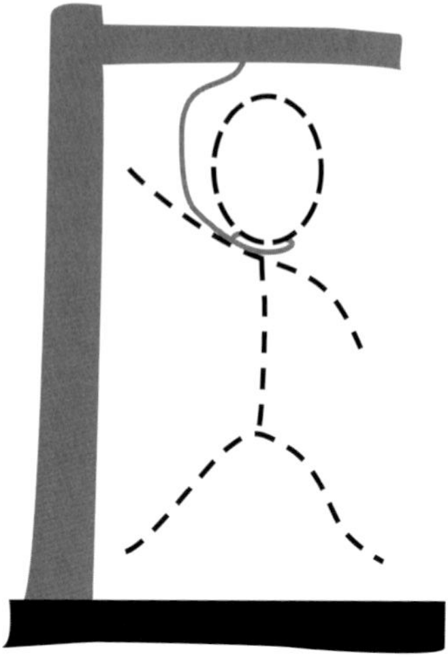

A B C D E F G H

I J K L M N O P Q

R S T U V W X Y Z

_ _ _ _ _ _ _ _ _

1 2 3 4 5 6 7 8 9

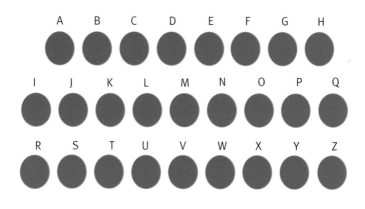

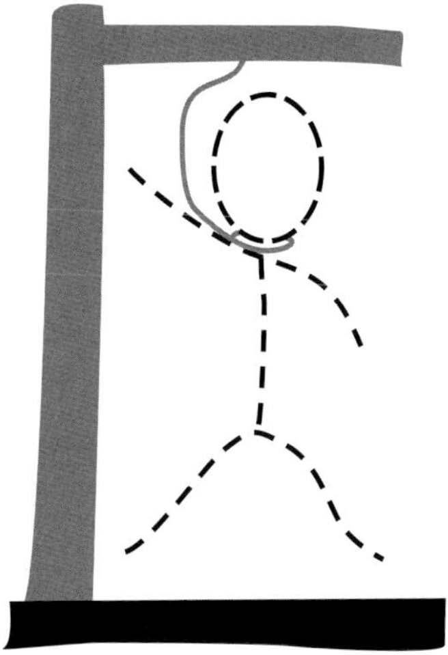

A B C D E F G H

I J K L M N O P Q

R S T U V W X Y Z

_ _ _ _ _ - _ _ _ _ _ _ _

1 2 3 4 5 6 7 8 9 10 11 12

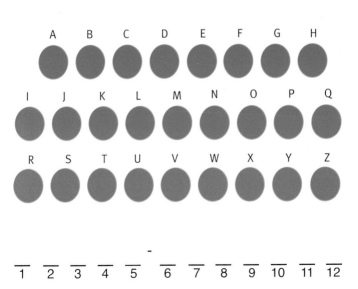

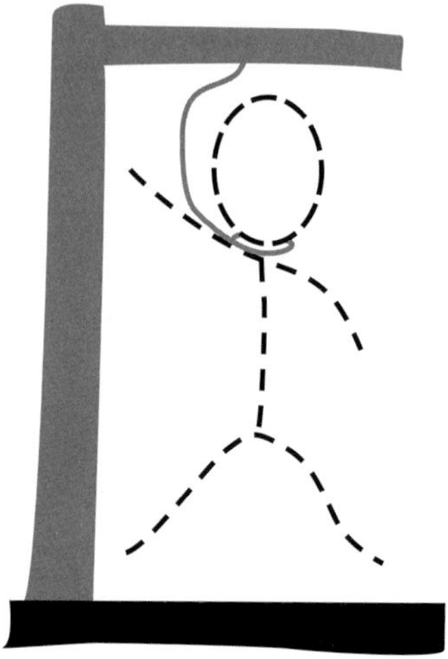

A B C D E F G H

I J K L M N O P Q

R S T U V W X Y Z

_ _ _ _ _ _ _ _

1 2 3 4 5 6 7 8

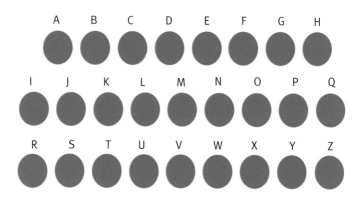

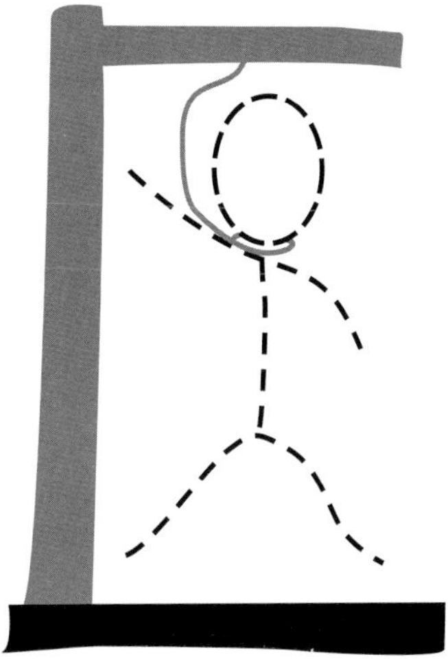

A B C D E F G H

I J K L M N O P Q

R S T U V W X Y Z

_1_ _2_ _3_ _4_ _5_ _6_ _7_ _8_ _9_

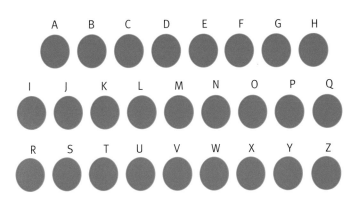

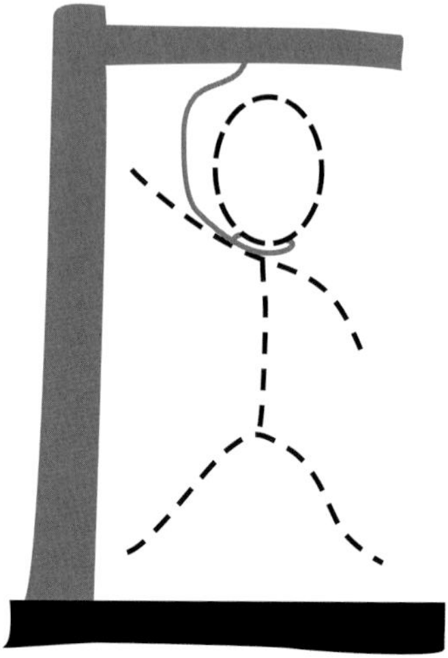

A B C D E F G H

I J K L M N O P Q

R S T U V W X Y Z

__ __ __ __ __ __ __ __ __ __
1 2 3 4 5 6 7 8 9 10

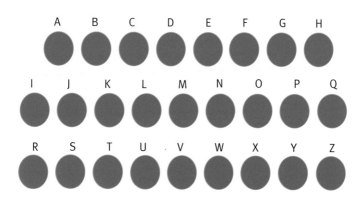

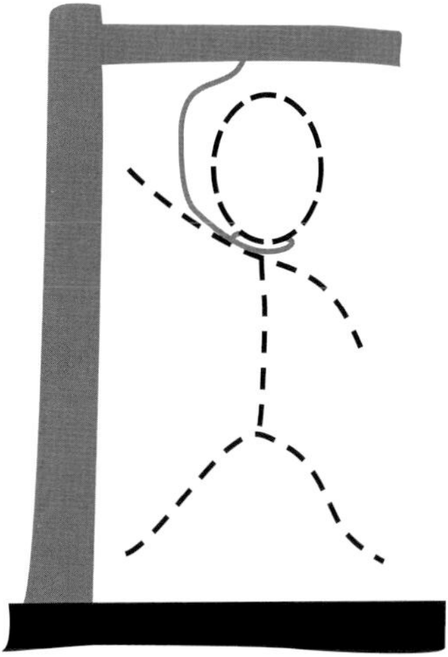

A B C D E F G H

I J K L M N O P Q

R S T U V W X Y Z

_ _ _ _ _ _ _ _ _ _ _
1 2 3 4 5 6 7 8 9 10 11

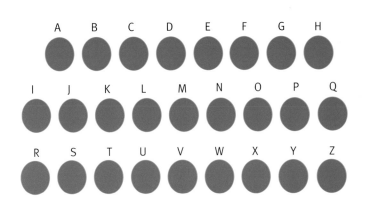

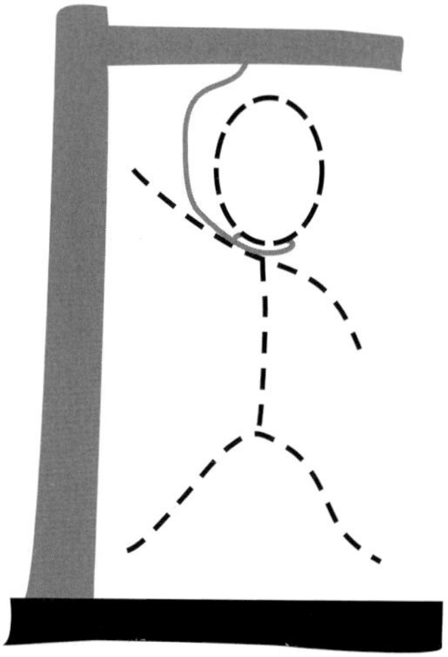

A B C D E F G H

I J K L M N O P Q

R S T U V W X Y Z

_1 _2 _3 _4 _5 _6 _7 _8 _9

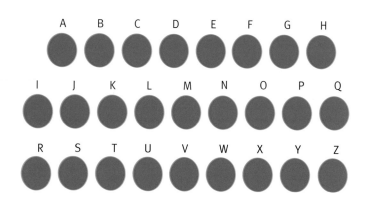

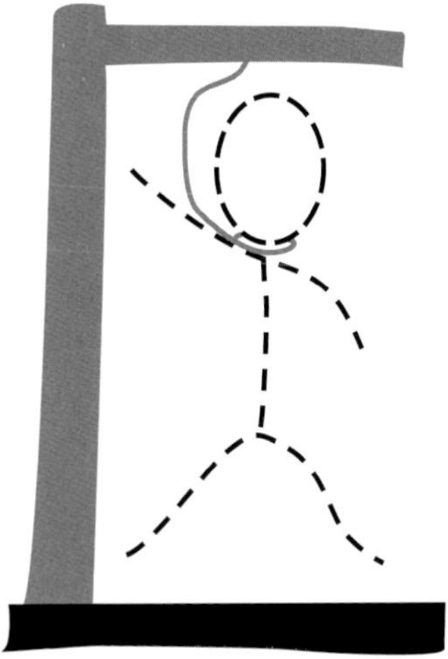

A B C D E F G H

I J K L M N O P Q

R S T U V W X Y Z

_ _ _ _ _ _ - _ _ _ _ _

1 2 3 4 5 6 7 8 9 10 11

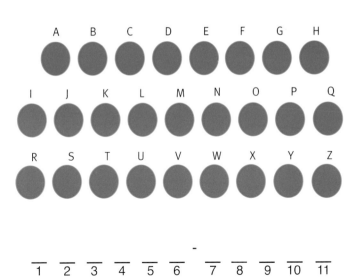

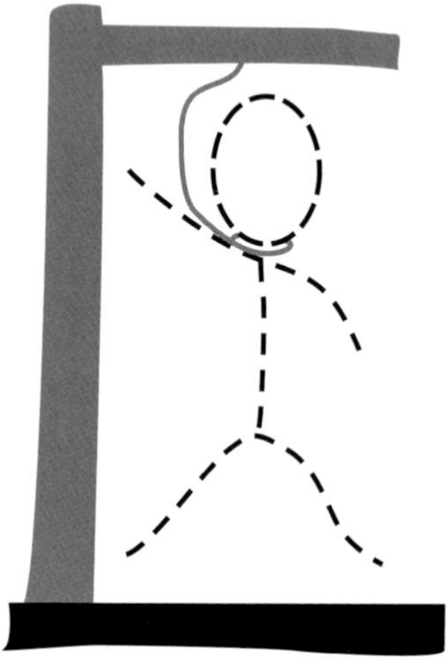

A B C D E F G H

I J K L M N O P Q

R S T U V W X Y Z

_ _ _ _ _

1 2 3 4 5

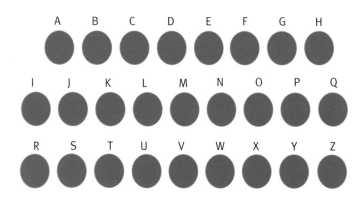

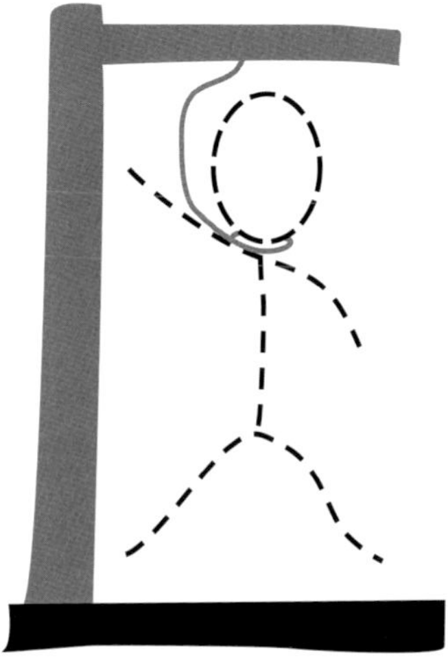

A B C D E F G H

I J K L M N O P Q

R S T U V W X Y Z

_ _ _ _
1 2 3 4

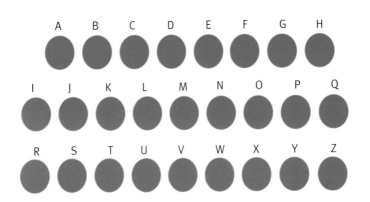

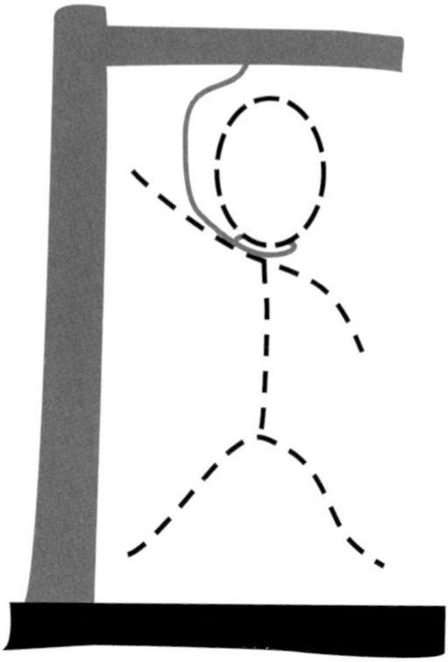

A B C D E F G H

I J K L M N O P Q

R S T U V W X Y Z

_ _ _ _ _

1 2 3 4 5

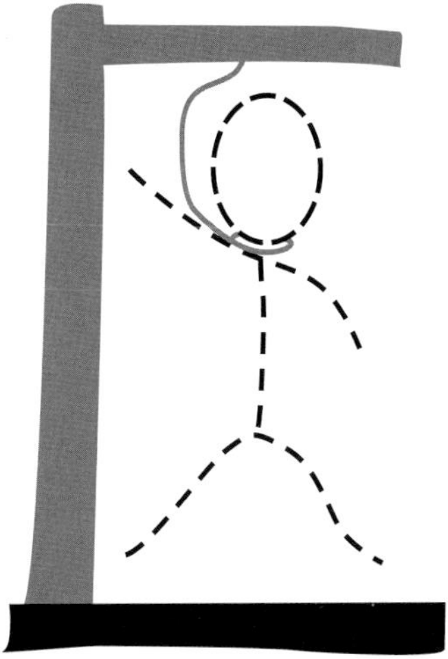

A B C D E F G H

I J K L M N O P Q

R S T U V W X Y Z

_ _ _ _ _ _ _

1 2 3 4 5 6 7

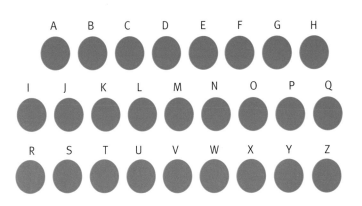

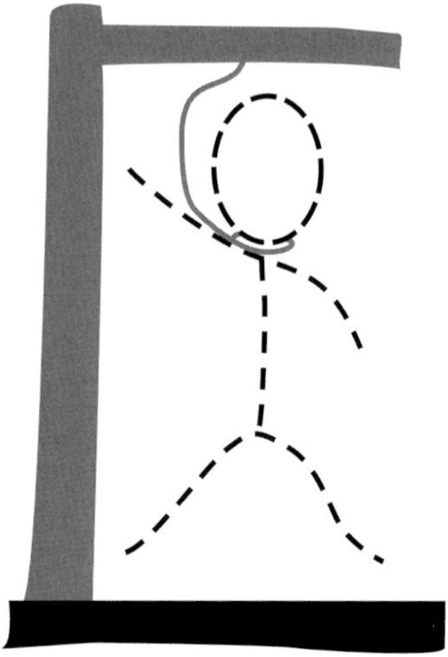

A B C D E F G H

I J K L M N O P Q

R S T U V W X Y Z

_ _ _ _ _ _

1 2 3 4 5 6

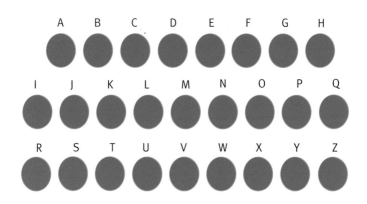

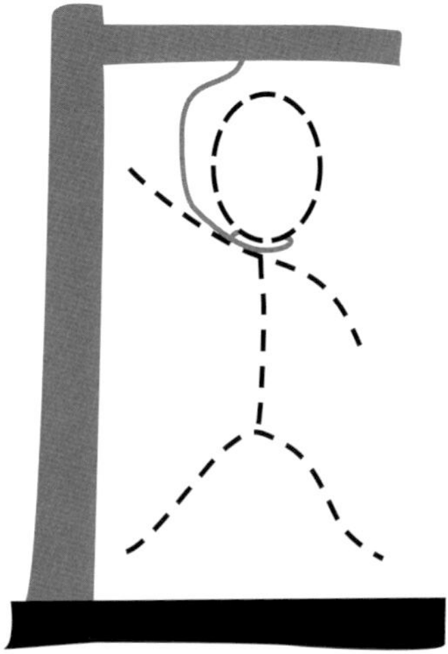

A B C D E F G H

I J K L M N O P Q

R S T U V W X Y Z

_ _ _ _ _ _ _ _ _

1 2 3 4 5 6 7 8 9

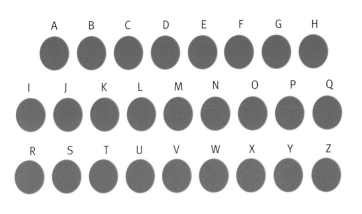

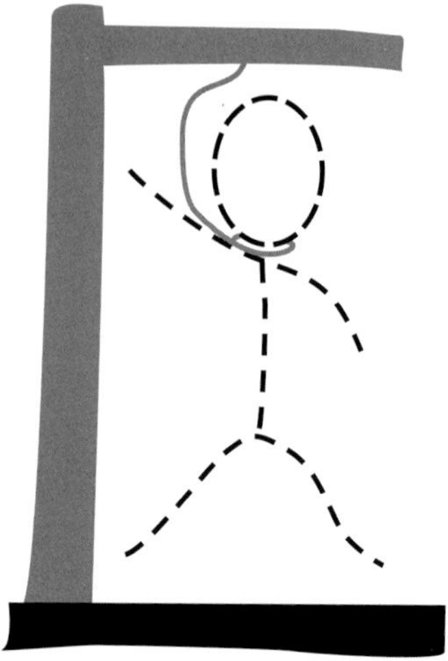

A B C D E F G H

I J K L M N O P Q

R S T U V W X Y Z

1 2 3 4 5 6

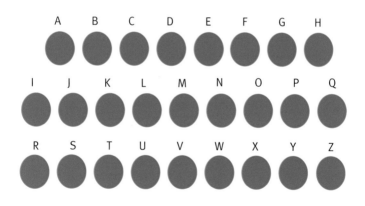

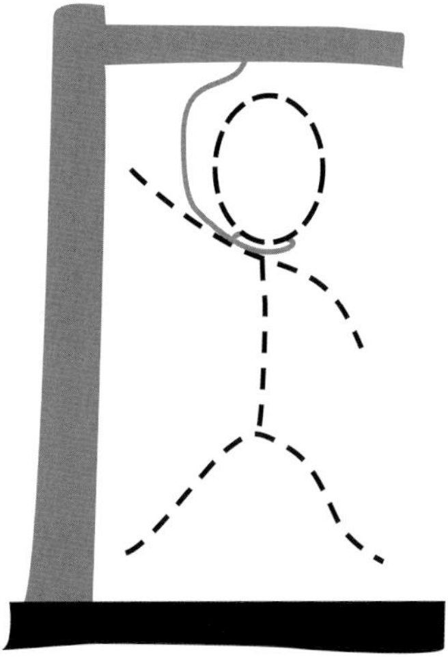

A B C D E F G H

I J K L M N O P Q

R S T U V W X Y Z

_ _ _ _ _ _ _ _
1 2 3 4 5 6 7 8

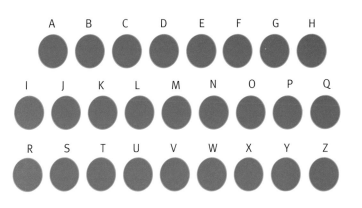

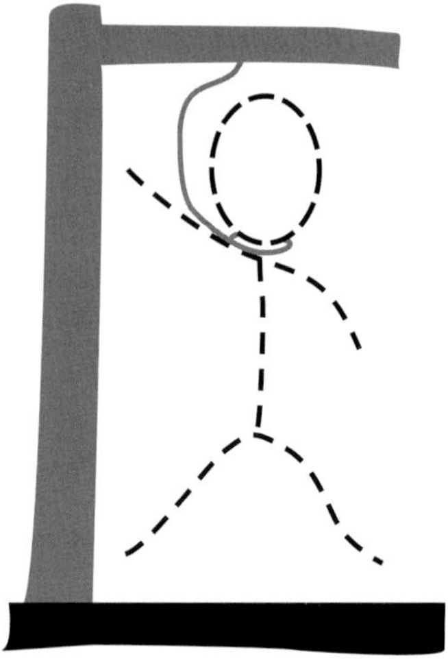

A B C D E F G H

I J K L M N O P Q

R S T U V W X Y Z

__ __ __ __ __ __ __ __ __ __ __ __

1 2 3 4 5 6 7 8 9 10 11 12

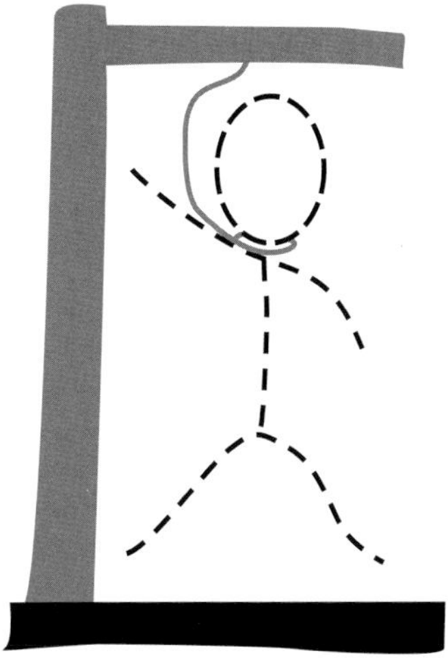

A B C D E F G H

I J K L M N O P Q

R S T U V W X Y Z

__ __ __ __ __ __ - __ __ __ __ __ __

1 2 3 4 5 6 7 8 9 10 11 12

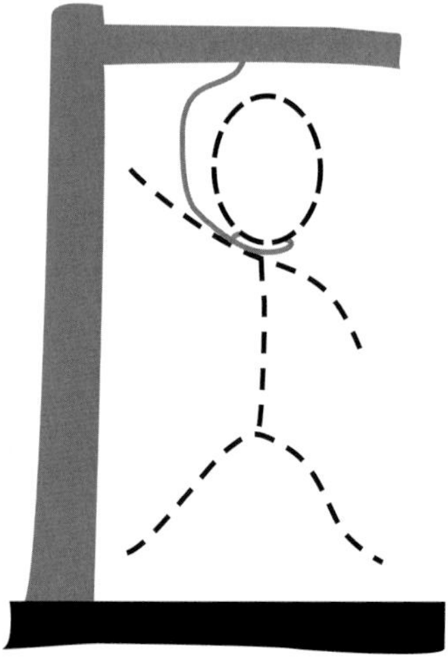

A B C D E F G H

I J K L M N O P Q

R S T U V W X Y Z

_ _ _ _
1 2 3 4

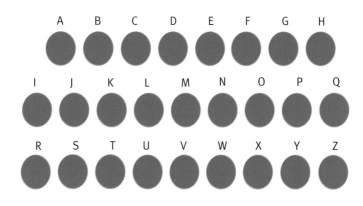

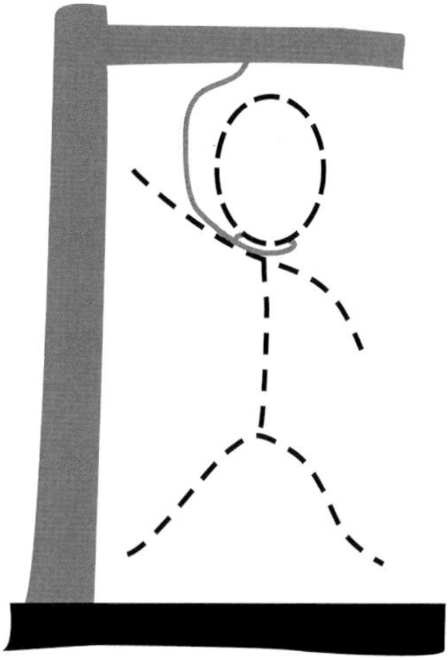

A B C D E F G H

I J K L M N O P Q

R S T U V W X Y Z

_ _ _ _ _ - _ _ _

1 2 3 4 5 6 7 8

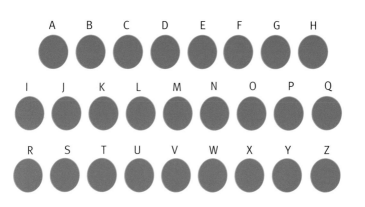

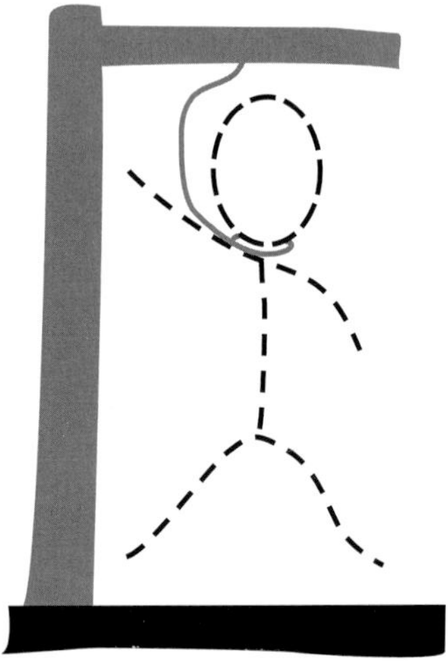

A B C D E F G H

I J K L M N O P Q

R S T U V W X Y Z

_ _ _ _ _ _ _ _

1 2 3 4 5 6 7 8

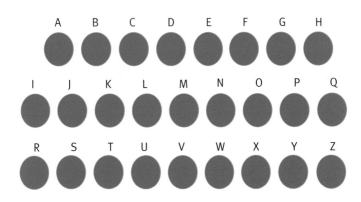

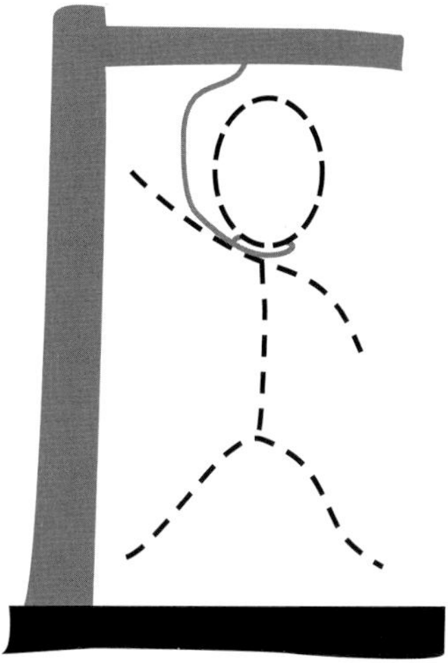

A B C D E F G H

I J K L M N O P Q

R S T U V W X Y Z

_ _ _ _ _ _ _

1 2 3 4 5 6 7

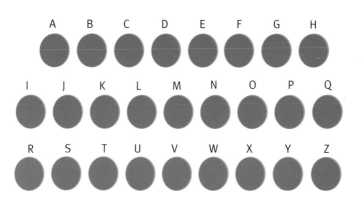

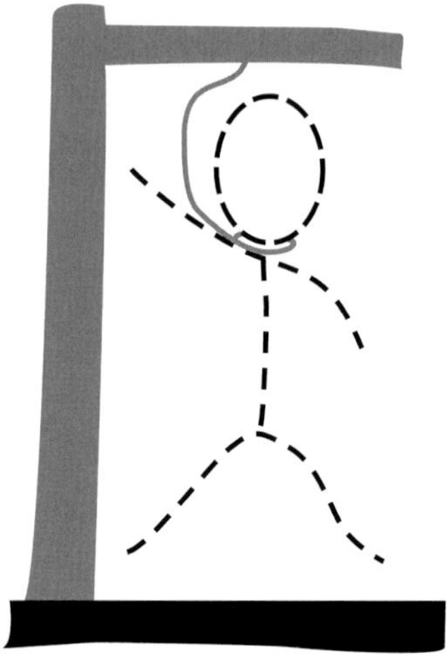

A B C D E F G H

I J K L M N O P Q

R S T U V W X Y Z

_ _ _ _ _ _ _

1 2 3 4 5 6 7

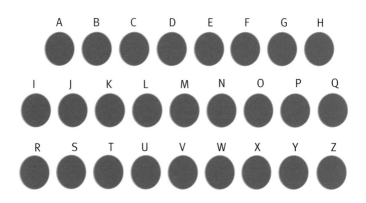

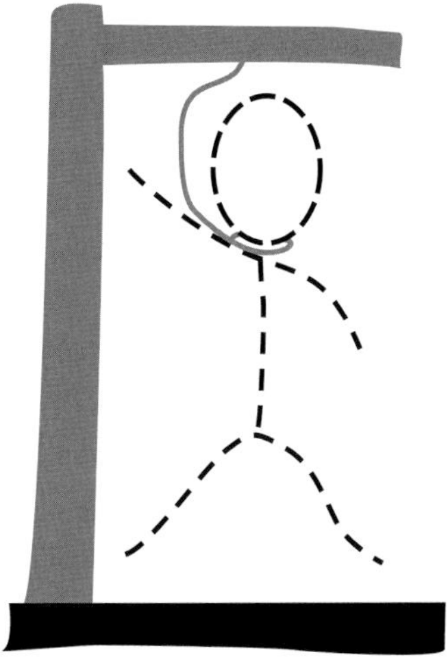

A B C D E F G H

I J K L M N O P Q

R S T U V W X Y Z

_ _ _ _ _ _ _ _ _ _
1 2 3 4 5 6 7 8 9 10

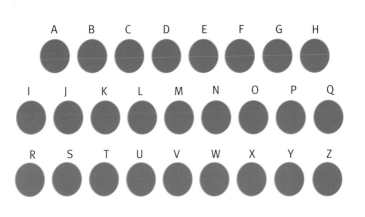

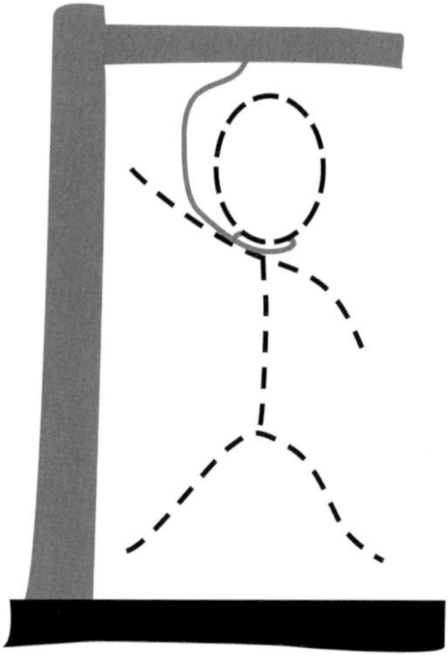

A B C D E F G H

I J K L M N O P Q

R S T U V W X Y Z

_ _ _ _ _ _ _ _ _

1 2 3 4 5 6 7 8 9

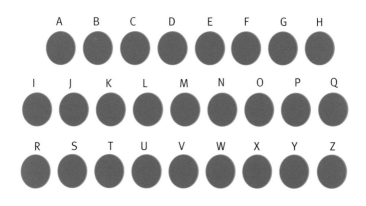

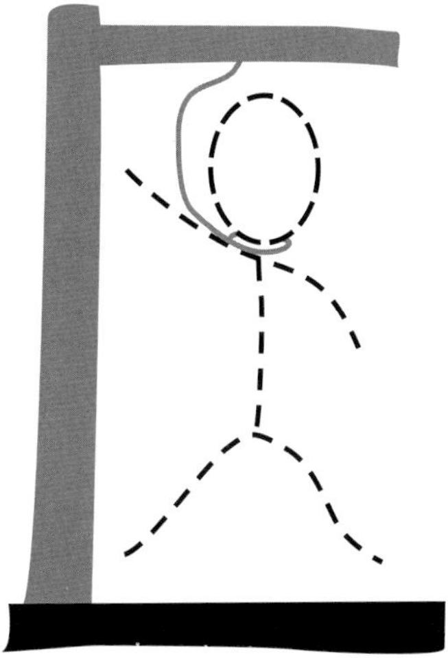

A B C D E F G H

I J K L M N O P Q

R S T U V W X Y Z

_ _ _ _ _ _ _ _
1 2 3 4 5 6 7 8

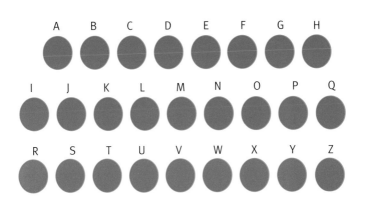

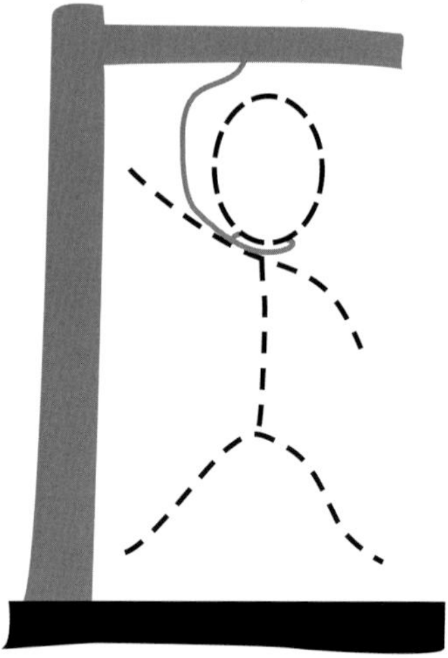

A B C D E F G H

I J K L M N O P Q

R S T U V W X Y Z

_ _ _ _ _ _
1 2 3 4 5 6

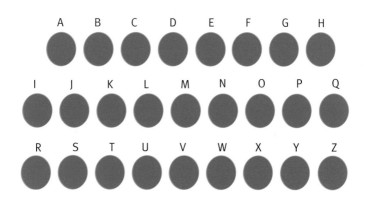

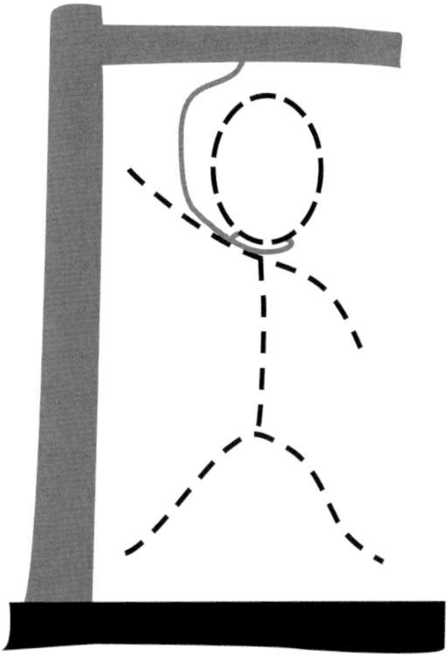

A B C D E F G H

I J K L M N O P Q

R S T U V W X Y Z

1 2 3 4 5 6 7

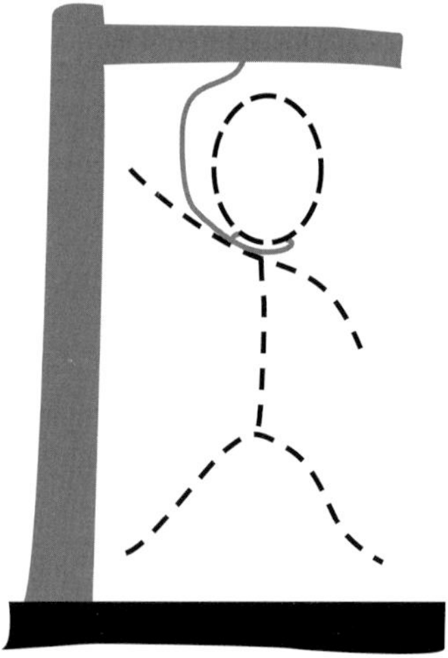

A B C D E F G H

I J K L M N O P Q

R S T U V W X Y Z

__ __ __ __ __ __ __ __
1 2 3 4 5 6 7 8

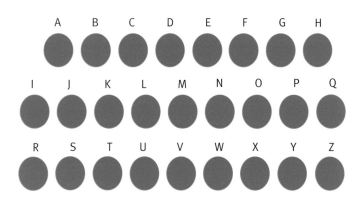

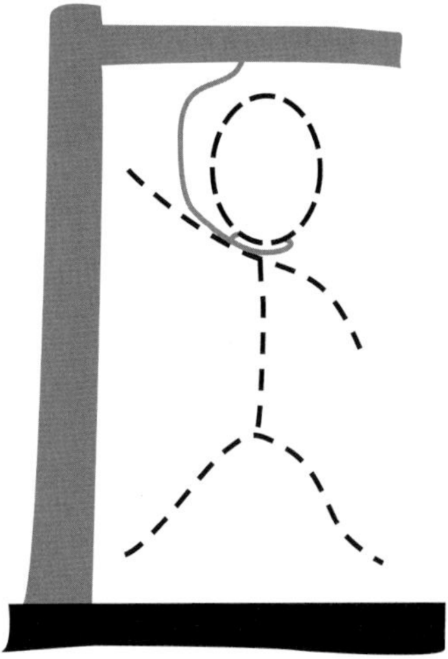

A B C D E F G H

I J K L M N O P Q

R S T U V W X Y Z

_ _ _ _ _ _ _ _ _

1 2 3 4 5 6 7 8 9

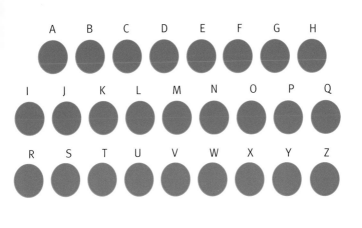